這世界妖怪很多，受點傷使你更強大！

清藍——著

目錄

篇貳　活成自己想要的樣子

妖怪：小心翼翼委屈鬼

篇參　我不是你的同類

妖怪：同溫層將就怪

篇陸 有點自私又如何

妖怪：善良面具半獸人

別讓一粒灰塵，遮住了你整個世界的陽光

我曾經看到過這樣一句話：世界如此寬容，你不必活得小心翼翼。這話說得很有道理，很多人不自覺地活得小心翼翼，很可能是因為曾在和他人的關係中受到過傷害，而忘記了世界寬容的樣子。

因為受到過傷害，才會不由自主地「討好」，以為只要討好了、每個人，就自然會得到他們的愛與尊重。但實際上，大部分活得小心翼翼的人，都被生活折磨得狼狽不堪，懦弱，卑微，掙扎。

生活的真相在於，只有將自己視若珍寶，才會被生活奉為上賓。真正活得自由自在的人，從不需要看別人的臉色。這不是因為這世界的眷顧，而在於你是什麼成色，世界就給你什麼臉色。

國中時，有一個外地的女孩轉學到我們班上，她北京話很不標準，說話帶著明顯的外地口音。一個新同學到一個新集體時，周圍的同學紛紛對他報以最友善和熱情的微笑，這是理想中的情景。但在現實中，並不是每個人都那麼秉持真善美的。班上就有人故意學這個外地女孩說話逗她，走到她面前向她借東西或者要她講題，等她一開口，聽到她那古怪的外地口音，他們就會乍然哄笑。女孩的臉每到這時都會變得緋紅一片。

那時，在我所生活的小縣城裡，老師們講課沒用北京話，而是用四川方言。外地女孩一句也聽不懂。每到上課，我總看到她睜著一雙茫然的眼睛，無所適從。但她不肯向老師提問，也不願意向同學請教。她覺得只要她一開口，因為她的外地口音，全世界的人都會來取笑她。最終，她的成績一路下滑，成為整個班級裡的墊底。

她回家被家長罵，在學校又被同學看不起，就這樣過了極其痛苦的三年。最後，她連普通高中也沒有考上，只好去讀高職，從此杳無音信。

直到五年前，我偶然遇到她，才知道當時的陰影足足籠罩了她十幾年，讓她整個人生都受到了影響。她變得極其沈默寡言。因為總覺得別人會嘲笑她，所以不到萬不得已，她從不輕易開口。因為自卑，她無法和任何人做朋友，也不相信自己的能力。無論是工作還是生活，她都如履薄冰，小心翼翼。她從不敢當眾發表自己的真實意見，也不敢主動去承擔有挑戰性的工作任務。

多年來，她一直做著最基層的工作，拿著最基礎的薪水，像空氣般生存著，是所有人眼中無關緊要、若有若無的存在。

治癒她的，是她的男友。他對她說了一句話：「不是每個人，都是你的國中同學。」他帶她出去旅遊，從雲南的一個小鄉鎮開始，到縣城，再到昆明，到成都，到上海，到北京，到東亞，到歐洲，到世界。最後他握著她的手說：「你看，這個世界這麼大，別讓一粒灰塵，遮住了你整個世界的陽光。」自此，她才幡然醒悟。

世界是千奇百怪、姿態萬千的，也是無限包容的。無論你怎麼做，它總是很忙，沒時間來嘲笑你，甚至來不及看你一眼。你又何必如此擔驚受怕，如此小心翼翼？

別因為曾被世上一粒沙遮蔽了眼，便覺得整個世界都是沙漠。其實它很寬容，足夠容你盡情展現自己。

不要把自己的希望寄託在別人身上。寄託在別人身上，你就會一直委屈。當你想去幹一件事的時候，請把別人的幫助排除在外。不是靠運氣找到勇氣，而是有勇氣才能遇到運氣。

二〇一六年，我是混跡於普通人群中最普通的一個普通人。

這一本書之所以能夠誕生，如果要追本溯源的話，我想，應該取決於我二〇一六年四月二日的一個決定。

即使，一個人做某次決定不過就是生物學上的一次神經衝動，但站在二〇一七年九月十二日時間點上的我，依然會感激在二〇一六年四月二日午間十二時一刻於我體內產生的那次神經衝動。

在那一刻，我決定不再小心翼翼，而是開始相信自己。

在那一刻，我決定不再偷懶，不再貪圖安逸，不再活成千篇一律的眾人的模樣。

在那一刻，我決定讓自己老了之後不會後悔。

現在想來，那時的我是多麼英明啊。

雖然我們都知道，未來一定會被現在所書寫。但不得不承認，知道是一回事，做起來又是另外一回事。

在許多年以前，我也曾經是一個「知道」和「做到」完全各成體系的人。我常常會安慰自己：我知道啊，但是時間還有那麼多啊，明天再做也不遲啊。但明天真的永遠都是明天。直到我的女兒陳小星有一天突然對我說：「媽媽，我越長越大，你會不會越來越老啊？」一直自以為還是青春少女的我這才悚然而驚。

有多少人，忙碌了一輩子，卻只是在不停忙著「別人的事情」。等到老了，「終於可以閒下來」了，這才想要做做自己的事情，然而卻很可能再也沒有時間和精力來完成了。其實一個人生而為人，用幾十年的時間去做一件自己想要完成的事情，不是理所當然的嗎？

你值得把你的未來書寫得更為美觀。

在我寫文章的過程中，總會收到一些讀者的貼心安慰和支持鼓勵的話語。這些支持和鼓勵太重要了！如果不是你們的支持，我想這本書可能永遠也不會出版，我寫的文字也會像煙霧一樣散失了。是你們給了我勇氣和信心，給了我堅持下去的力量，也給我的文字賦予了現實的意義。

感謝喜歡我的每一位讀者，請一定要記得：「這世界妖怪很多，受點傷使你更強大。」才是不變的真理。願我們從此都不再小心翼翼，願我們從此都能夠活出自己的精彩，更願你不卑不亢，也有歲月打賞。

篇壹

因爲自卑，
你錯過了什麼？

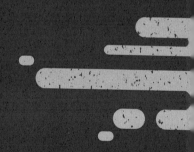

配不上・自卑獸

特別害怕犯錯。因為在他們看來，犯錯就是一種失敗，而失敗是在強化他們無條件認為自己「做不到」、「不配得到」的潛意識。

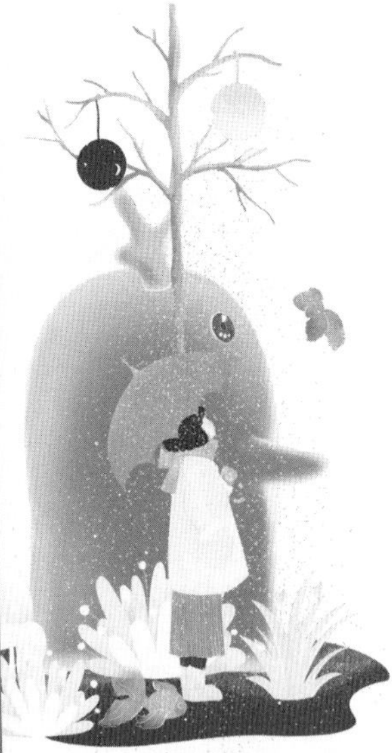

一生不敢與人爭，只配擁有稀鬆平常

01

大學時，同寢室有個胖胖的女同學，長相一般，也不愛打扮。但這個女同學工作能力挺強，一直是學校學生會成員，班長也當了好幾屆。

到大三時，寢室裡很多女生都有了男友，或已經談過戀愛，有些還換了好幾個，這個同學卻一直沒談過戀愛。那時，大家都已經開始各種忙，寢室裡經常是人煙稀少，床位空蕩。

有一次，我偶然回寢室，碰見這個女同學就聊了幾句。

女同學有些猶豫地說，學生會裡有個同年級男生在追求她，她也對對方有好感，但她很猶豫，不知該不該答應男生的追求。

一個人在問你他該不該去做某件事的時候，一般都是想去的。但女同學既然如此猶豫，必定也有原因，於是我就問她。

女同學剛開始說，快大四了，男生畢業後又會出國，她怕投入了感情，到時分開會很難受。

後來才又說，男生長得很帥，而且是學生會主席，家庭條件也不錯，一向不乏漂亮的追求者。自己父母離異，家境差，又這麼胖，這麼土，實在不知道男生為什麼要來追求她。

她還說，有很多女生都對她說，男生追她，不過是為自己拉聯盟拉選票，甚至還有人說，男生那麼多漂亮女生都不要，卻來追她，肯定是為了要羞辱她……。

然後她就拉著我不停問：「我是不是真的很胖，長得一般，也不會打扮？」

我這才知道，原來出國什麼的都是小 case，讓女生猶豫的根本原因在於她不自信。她認為自身沒什麼出眾的地方，不值得別人愛，懷疑男生追求她的目的不純粹。

雖然我一直鼓勵她要勇敢，不留遺憾，但是女生最終還是拒絕了男生。

數年後，我們再次見面。

女生減了肥，也懂得打扮了，顏值身材把以前的自己給甩了好幾條街。

談起當初那個男生，她一臉懊悔，說她畢業後這麼多年，也認識了不少男人，但是竟然沒一個有當初和那個男生在一起時的默契舒適感覺。

她輕易拒絕一段感情，讓男生和她的未來從指縫中溜走，以為還會再有，哪裡知道，上帝會如此吝嗇，給予了一個，便已是足夠。

如果當初自信一點，她的人生軌跡會不會就不一樣了？

02

因為自卑，你錯過些什麼？

從前，英國有個女醫生叫富蘭克林。她從自己拍攝X射線衍射照片中發現了DNA（脫氧核糖核酸）的螺旋結構。經過研究，她大膽地提出了假說，並以此為題做了一次很出色的演講。

然而，許多人對她的發現提出質疑，懷疑她的照片的真實性和假說的可靠性。在這些壓力下，富蘭克林自己也開始懷疑自己。因為她只是一個普通的醫生，提出這樣高深的理論問題，會不會是太不自量力了？

她動搖了。於是，她公開否認了自己提出的假說，也沒有再繼續研究下去。

後來，另外兩位科學家在這個領域的研究中取得重大成果，並因此獲得了諾貝爾醫學獎。但他們最初關於DNA結構研究論文的發表，是在一九五三年，比富蘭克林的發現晚了足足兩年。

不知道富蘭克林本人後來知道了這件事，是不是悔不當初了？

身邊幾乎到處都是因為自卑而輕易放棄或者錯失的例子。

比如說我吧。我高中的時候學過一段時間的畫畫，為了畫畫我還去參加了一個美術進修班，幻想之後可以當個流浪畫家，結果被班上的幾個同學給秒殺了。

我立刻便懷疑起自己的藝術天份，最終退出了那個班。受不了挫折，歸根究柢也是一種自卑。

因為不夠相信自己，覺得自己不過是萬千大眾中普通的一員，而能做出大成就的人，是從出生起就開了掛的。正因為相信別人開掛，所以自己放棄起來也特別心安理得。

網上還有個朋友說，以前同時有兩個男人追求她，一個長得特別帥，家境特別好，修養也好，而且還是畢業於史丹佛大學的學霸，他們在一起特別談得來。

另一個人呢，則是和她一樣普通的人（她認為的），就是她從小到大在周圍環境裡經常見到的那種男人。雖然也是畢業於國內一所明星大學，家境也還可以，但不怎麼修邊幅，談吐也不見得多有修養，長相和身材都普通，他們相處起來，感覺一般。

這個朋友覺得，自己也就是普通人一個，不見得有多漂亮，也不是白富美，配不上那個優秀的男生。所以，她最終選擇了那個普通的男生。

後來事實證明她選擇錯誤。

她以為自己和普通男很相配。你看，學歷、長相、身材、家境等都差不多，所以她覺得自己只能配這個男生。

婚後她才發現，那個男生除了工作，就是整天吃喝玩樂，看謎片，飆髒話，放假就整天躺床上睡覺。她呢，喜歡積極向上的生活，去參加了很多的培訓，也喜歡到處旅遊增長見識。

他們或許什麼外在條件都相配，但若論三觀和精神境界，女生明顯比男生要高出一大截。

現在她悔不當初。

也許不少男人以為女人都想「攀高枝」，然而在現實中，因自卑而總是選擇低於自身水平的男生的女生，卻也有那麼多。

其實，無論是工作、感情還是技能，你最需要解決的，就是你的自卑。因為自卑，即使把機會端到你面前，也會被你白白浪費。「配不上」、「做不到」，就是自己給自己設置的一個樊籠。

03

為什麼周圍自卑的人那麼多？

從根源上講，源自我們小時候父母或所處環境過度嚴格的管束。父母或者周圍環境對小孩的要求總是很高，小孩子達不到，就會經常覺得自己很失敗。自卑也就從此扎根了。另外，如果一個人的願望或夢想經常受到他人的嘲弄，不被理解，也會導致人的自卑。

理智地想想，在一個人做某件事之前或過程中，自卑就已經產生了，而不是產生在某件事完成之後。比如我那個同學，她根本沒有和男生真正走入感情，就已經選擇了逃避。

換句話說，自卑的人在做某件事的時候，一直是在懷疑自己「做不到」的，這個時候稍微遇到一點挫折他就會歸因於「能力」、「容貌」、「出身」等一切無法改變的因素。其實，他是在潛意識裡無條件地認為自己「做不到」。

請注意這個詞——「無條件」。

那麼，他這種潛意識又是從哪裡來的呢？

我一直認為他人的評價對一個人的人生軌跡有著很大的影響。如果一個人從小就生活在不被承認、不被重視和肯定的家庭環境中，那他鐵定經過無數次「被否定」的語言洗禮，他還能站得起來嗎？

以前我有些親戚根本看不到他家小孩一點點的優點，整天就是批判，否定，比較，譴責，抱怨……結果顯而易見，原生家庭帶來的陰影，最終會成功地遮擋住一個人所有的光芒。

這些親戚家的孩子們，小時候都還聰明伶俐，長大後卻幾乎活成了他們父母的翻版，做著和能力明顯不搭的庸碌工作，或嫁或娶了明顯不合適的人。

自卑的人，總覺得自己不配擁有好的東西，不配有夢想，不可能有光芒，所以他們放任那些寶貴的東西從身邊白白流過，害怕主動去追求，而寧願俯首撿拾腳下他們並不想要，卻又覺得自己只配擁有「稀鬆平常」的物品。

04

亨利．林肯說：「在有些人因為自卑踟躕不前的時候，另外一些人卻忙著犯錯從而變得更優秀。」

自卑的人，特別害怕犯錯。因為在他們看來，犯錯就是一種失敗，而失敗是在強化他們無條件認為自己「做不到」的潛意識。所以他們常常選擇做一隻鴕鳥，不碰，不主動，不追求，所以也就永遠不會「犯錯」，也就不會失敗。

他們以為這世界上只有他們會失敗，那些擁有光環的人，都是從來不失敗的。然而，擁有光環最多的人，往往才是遭遇到失敗最多的人。

肯德基的創始人哈倫德．山德士失敗了 1009 次。華為的創始人任正非說：「我天天都在思考失敗」。

其實，自卑的人怕的不僅僅是失敗，而是失敗後內心對自己的苛責。對於一點點的錯誤，他們甚至可以譴責自己數年之久。

其實，大家都是人，不是神，誰不會犯一點錯？即使犯了錯，天也不會塌下來啊。錯誤並不可怕，而且只有犯錯，才有可能進步。

你還在因為一點點小事沒做好，就在譴責你自己嗎？放過自己吧，你犯錯，才證明你活著。別因自卑，把自己活成了一具行屍走肉。小孩子說：「我喜歡糖，我想要糖」。而你，明明喜歡糖，卻不敢說，也不敢要。

做個快樂的孩子吧，喜歡就喜歡了，要了就要了，愛了就愛了，哭了就哭了，錯了就錯了，無論你做什麼，世界會依然安好，運轉正常，天不會塌下來，而你有血有肉，活得才有個人樣。

無論是工作、感情還是技能，你最需要解決的，就是你的自卑。因為自卑，即使把機會端到你面前，也會被你白白浪費。

不是我在炫耀，而是你太嫉妒

01

多年前，我剛剛大學畢業不久，什麼都沒有。沒車，沒房，沒錢，沒男友，只有一顆很傻很天真的心，還有圍繞著這顆心的遲鈍神經。

有一次，我被派往某地辦事，有一個同事很好心，見我沒車不方便，就說：「也不遠，我開車送你吧。」

我感激涕零，但我們相當倒霉，車還沒開出市區，就被另一輛車給撞了。還好，因為速度不快撞得並不嚴重，我和同事都沒有受傷，但卻被嚇慘了。

過後，我把這件劫後餘生的經歷在網上講給一個朋友聽。我想向她表達這樣一個主題：「差一點我就掛了，就不能和你說話了」。因為急著表達，我省略了那位同事。

她靜靜地聽我說完了，問了我這樣一個問題：「是什麼車呢？」

我說是寶馬X3。

她發過來一個「哦」，隨即就不說話了。

之後我再找她說話，她也總是推託有事很忙，或表現出毫無交談的興趣。

反應遲鈍的我直到幾天之後才終於反應過來，原來她是以為我在藉機向她炫耀。我講了那麼多關於此事的感慨，講了我眼睜睜看著車撞過來的驚恐，我只是想和她分享這樣一個經歷，結果她什麼都沒聽到，就注意到了這個事件中的一個冷冰冰的道具——車。

她以為我是在藉此向她傳達這樣一個訊息：「你看，我有車，還是寶馬X3啊。」我感覺自己比竇娥還冤啊！

02

生活中有這樣一類人，他們的認知好像就一個主題：「你在炫耀」。不管你說的是什麼，他們總是習慣性地忽略你所要表達的中心思想，只注意到你話中提到的可有可無的標籤。

比如，你們聊天，你說：「現在油好貴（純感慨）」。她就說：「你開好車當然更費油了（還不是為了炫耀你的車）」。

你說：「今天天氣好熱啊，好想趕快回家吹冷氣（純感受）」。她就說：「知道你又買了一間大房子（還不是為了炫耀你的房）」。

你說：「請問你是怎樣把你小孩教育得這麼懂事的（純請教＋稱讚）？」她就說：「你小孩讀名校，你還向我請教（還不是為了炫耀你小孩的學校）？」

你說：「最近快累死了（純感慨）。」她就說：「你升職了吧（還不是為了炫耀你又升職加薪了）？」

這還能愉快地聊天嗎？

總之，不管你聊什麼，有的人總有把一切統統歸結到「你說那麼多，還不是為了在我面前炫耀？」只有一種解讀主題的能力。

你明明和她探討的是衣服的款式和搭配，她總能扯到品牌。

你明明是真誠地向她推薦某地方的特色菜品，她總是能扯到飯店的名字。

你向她推薦書和電影，她以為你是在炫耀知識。

連你吐槽一下你的破提包，她也以為你是為了要換一個名牌包包在她面前展示，讓她先做一下心理準備。

社群上你隨便貼張照片記錄一下生活，她總能找出其中所謂的「亮點」。

你貼在咖啡館的照片，她的心理活動：喝杯咖啡還拍張照？好像誰沒去過星巴克似的。其實你只是約了朋友在等人很無聊，隨便拍了張照。

你貼在某飯店吃飯的照片，她的心理活動：吃頓飯還拍張照？還不是為了炫耀你是在某某飯店吃的飯。其實只是你一個朋友過生日，大家一起拍張照紀念一下而已。

你貼在家裡的照片，她的心理活動：旁邊的包包故意拍下來，還不是為了炫耀那是某某品牌。其實你只是拍照的時候忘了把包拿開。還有那包很高端嗎？明明是山寨包而已。

你貼張無背景自拍，她的心理活動：還不是為了炫耀你的衣服品牌？

你換一件地攤貨自拍，她的心理活動：還不是為了炫耀你的衣服款式？

你再換一件沒有款式的，她的心理活動：還不是為了炫耀你的身材？

連你不玩社群了，她也有心理活動：搞神秘，還不是為了炫耀你的低調？

你是不是很想說：姐姐們啊，不要把我想得這麼高端。要心機這麼高難度的技能，臣妾真的無法擁有啊。

03

我看見過某篇文章上說，所謂在社群貼文的正確姿勢，就是如何低調奢華有內涵地透過拍照角度、物品，說話的語言，來達到無聲勝有聲的炫耀目的。

那篇文章看得我想要吐血，神經比較簡單的人貼文，不就是記錄一下自己的生活、心情和感悟的嗎？哪有那麼無聊費盡心機就為了炫耀啊？

花式炫耀的人畢竟是少數，大多數的人，其實本質都是簡單的。如果在你眼裡只看到人人都在炫耀，那只能說明你人比較偏執。

只能靠炫耀才能獲得自信的人，才會覺得別人一舉一動都是在以炫耀為目的。

一個人是怎樣的人，在他眼裡的其他人也就是怎樣的人。一個光明磊落的人，在他眼裡人人都很光明磊落；一個黑暗猥瑣的人，在他眼裡人人都很黑暗猥瑣；一個簡單的人，在他眼裡人人都很簡單；一個複雜的人，在他眼裡人人都很複雜。

所以，你要知道一個人是怎樣的人，去看他眼裡的眾人是怎樣的人就知道了。

覺得別人時時刻刻都在炫耀的人，必然也痴迷於研究各種花式炫耀的方法。但真正的自信，從不依靠外物。

所以，如果有人認為你是炫耀，一笑置之即可。那本就不是你在炫耀，而是他們太嫉妒。

只能靠炫耀才能獲得自信的人，才會覺得別人一舉一動都是在以炫耀為目的。

他為你雪中送炭，卻也盼著你落魄潦倒

01

我以前教過的一個學生C，畢業後自己和朋友創業，公司業務發展蒸蒸日上。前兩天和他在網上聊了幾句，他說：「老師，你還記得M嗎？」

我說記得啊。

他不無寂寥地說：「你知道嗎？最近我們鬧翻了，朋友變成仇人了。」

M是C的同班同學，我記得很清楚，他們讀大學時感情超好。無論我在哪裡看見M，身邊都有一個C，看見C，身邊也就有一個M。

兩個男生都比較帥氣，我一度懷疑他倆是同志關係，直到他們後來都有了女朋友，我才總算放下了我那顆操碎了的心。

當時，M的家庭經濟條件比C要好很多。C從小父母離異，兩邊家庭收入都不高，C自己過得很節儉。我聽過他班輔導老師說，C大一的時候就申請了助學金。與C相比，M雖不是富二代，但家庭經濟情況比C要好很多。有好幾次我在校外餐館碰到他們，都是M帶著C還有一幫朋友在吃喝。

畢業之後，C開始和一些朋友創業，M進了另一間大公司。M按月領薪，經濟情況非常穩定。C剛開始的發展卻很不好，創業艱難，舉步維艱，兩個投資方都不幹了要撤資，公司一度瀕臨倒閉。

C壓力山大，焦頭爛額。

就在這時，M透過自己結識的各方人脈關係，給C拉來了一個重要客戶。之後，C公司的發展開始步入正軌，特別是有個作品獲得了全國大獎後，C公司的知名度顯著提升。

公司終於脫離了危機，並在短短兩年內迅速發展壯大。C的收入也成倍增長，將領薪階層的M給遠遠甩在了後面。

C後來說，如果不是當初M拉來的客戶救急，恐怕公司早就倒閉了。他因此一直對M心懷感激。

C覺得，現在這個年代能夠雪中送炭的人，真的是可遇不可求了，M如此講義氣，從來沒有因為自己比他窮，就看不起他，反而總是無條件幫助自己，這個朋友是值得他用所有真心對待的。

於是，為了表達對M的感激之情，他多次請M吃喝玩樂。他還買了很多昂貴的東西送給M。

比如，他知道M的車開了很多年，很舊了，就買了一輛新車送給他。他也介紹自己熟識的朋友給M認識。

剛開始M欣然接受，並由衷地為C公司發展的好勢頭高興。但隨著C的公司越做越大，送的禮物越來越貴重，帶他去的場合越來越高級，跟著C見識的場面越來越大，認識的人越來越高大上，M便開始臉現不悅之色，語現諷刺了。

C對M越好，M反而表現得越不友善。

讓兩人澈底鬧翻的是因為這樣一件事：

M的女兒到了要讀幼兒園的年齡，C之前聽M提過，他想要讓女兒上好一點的幼兒園。C剛好有這方面的人脈關係，於是，就自作主張給M聯繫了一家當地頂尖的貴族幼兒園。M知道了非常惱火，指責他自作主張。

C問：「你不是想讓小孩上好一點的幼兒園嗎？」

M說：「好一點也要符合我們家的經濟情況啊，那幼兒園裡都是富豪子弟，我們去了，不是純粹被人看不起嗎？」

C這才知道搞砸了，想要另給M幫忙，M卻認定他不安好心，藉此羞辱他窮。

M說：「你不就是發達了嗎？有什麼了不起的？你別忘了以前困難的時候我是怎麼幫你的？有看不起你一次嗎？C我告訴你，做人啊，不能太忘恩負義！」

C也是糊塗了。他實在搞不清楚自己怎麼就忘恩負義了？怎麼就看不起M

了？他明明就是好心好意想幫M，可是M卻認為，C的分享是在無時無刻提醒著他的無能、窮和失敗。

02

我以前也認為，能夠共苦的朋友，自然是能夠同甘的。

你落魄的時候他都沒嫌棄你，當你風光了之後，他有可能嫌棄你嗎？一個能為你雪中送炭不計回報的人，在這個利益至上的現實社會裡該是多麼珍貴的存在！就像有人說，人生真正的朋友不一定錦上添花，但一定能夠雪中送炭。

然而，遭遇的事情越多，我們卻越容易發現，在你落魄時，能夠為你雪中送炭的朋友，卻真不一定在你飛黃騰達時還能陪在你左右。有些人，能夠同甘卻不能共苦。這種人不用說，利益至上，談不上什麼真朋友。但能夠共苦的人，便一定能同甘嗎？也未必。

有些人在你落魄時，真心實意對你好，總是無條件幫助你，幾乎不求回報。但是，當你有一天過得比他更好時，當你一腔熱情想要報恩時，他卻開始對你敬而遠之，乃至諷刺挖苦。

明明是他漸漸疏遠了你，你卻往往發現，他對所有人說的都是你風光之後，是如何「狼心狗肺」地拋棄了他。

你想要和他同甘，於是常常不吝分享自己所有的資源，而他卻千方百計拒絕你的任何「恩賜」。終於有一天，他「忍無可忍」地離你遠去，而你卻不知自己一番好心，怎麼就讓你們的關係走到了盡頭。

國中時，班上有個叫小夏的女孩主動來和我做朋友。我們一度好得形影不離，小夏走到哪裡，都會把我叫上一起。我們和其他人一起玩，她總是嘰嘰喳喳，是人群中談話的焦點。當時我在她身邊，一般都是負責傻笑的那個。

她學習認真，成績優異，好勝心很強。我成績也不錯，但沒她那麼好強。

小夏很講義氣，班上有個女生莫名其妙經常損我，她主動為我出頭。我沒寫作業，她主動把作業給我抄。更令人感動的是，她是數學小老師，有時會幫老師批改考卷，每次看到我有錯題，她都冒著被老師發現的危險，幫我偷偷改掉，再畫個大勾。能享受到她如此待遇的，除了她自己，在班上五十個同學中就只有我了。每次我拿到卷子，看到她塗畫的筆跡都感動得無以復加。

後來，數學老師覺得我數學成績提升很快（真相是小夏的功勞），就選我當了數學小老師。所以，小夏的位置被我擠掉了（我真的是無心的）……。

小夏因此受到了很大的傷害，她再也不理我了。可是我還想報答她，於是有次幫老師批改考卷的時候，我看到她有道題錯了，就主動幫她改掉，畫了個大勾。

我滿以為她會很高興，結果第二天她很生氣：「你憑什麼幫我改？你不就是在諷刺我數學現在沒你好了嗎？」轉身，她就拿著考卷去了老師的辦公室。

結果是：數學老師在課堂上嚴厲地批評我「徇私舞弊」的行為，並立馬撤掉了我數學小老師的職務。從此，我再也沒有當過數學小老師，而我和小夏也再沒說過話。

有時，一個人和你做朋友，可能只是因為他覺得你對他沒有利益的威脅。當你不如他時，他會很樂意和你成為朋友，也不吝和你分享各種資源。但當你比他過得更好，或威脅到他的利益時，他卻往往不接受你的分享了。因為他會覺得此時你的分享，目的就是提醒著他的失敗。

03

人是一種無比自戀的動物。每個人不論實際上有多麼弱小，在自己的眼中就是上帝。

當你比他弱時，他樂於幫助你，甚至可以為你雪中送炭。而他之所以如此，也許並不是因為你對他有多重要，或者是他對你有多麼深厚的感情，而只是因為你比他弱、比他慘！在你面前，他有一種「強者」的心理優勢，透過幫助你，他從心理上獲得了「我比你強，我比你幸運，我比你優秀」的滿足感。

而當你比他更強、更好時，你的分享等於在告訴他，他比你弱、比你慘，他在你面前，就成了一個淒慘的弱者。這種感覺會令他們憤怒不已。為逃避這種感覺，他們只有遠離你，從其他比他們弱的人那裡繼續獲取心理優勢。

所以，有些人，也許是真心希望你好，但卻不會希望你比他更好。當你比他們更好的時候，也就是你最可惡的時候。只有當你比他們淒慘的時候，才是你最可愛的時候。

你弱，他們可能不吝雪中送炭，但你比他們強，他們卻往往反過來惡語相向。

歌德說：「當可憐的犯人被判刑帶往刑場時，誰都不想錯過熱鬧，爭相前往。人在潛意識裡，就是喜歡看到別人比自己慘的。」

誰在朋友圈賣慘，說自己事事不順心，走投無路想要跳樓，便總是會得到人們善意的安慰。

誰在朋友圈炫富，說自己今天買了愛馬仕，明天又買一套路易威登，無疑會得到人們惡毒的諷刺。

張愛玲說：「笑，全世界便與你同聲笑，哭，你便獨自哭。」

電影「七月與安生」裡，安生落魄的時候，被七月帶去高級餐廳，安生同樣是不願與七月「同甘」的。她千方百計要和七月「算清楚」。

或許，可以在你成功時由衷地為你高興，毫無心理負擔和你一同分享成功的果實，也可以在你失意時感同身受，為你雪中送炭的人是不存在的。但是，也正如七月說的「我恨過你，但我也只有你」。

每個人都不是完人，所以也不可能有童話般完美的關係。如果說沒人真心希望你比他更好是人之本性，我們又何須對人對己如此苛求。

他希不希望我好，與我自己好不好有什麼關係？做好自己的本分即可。他以前待我好，所以我好了後便也待他好，這就是本分。而這本分他要不要，那就是他的選擇了。

為什麼要用別人的狹隘來懲罰自己？你只需要做得問心無愧就好，又何須強求他人？

每個人都不是完人，所以也不可能有童話般完美的關係。如果說沒人真心希望你比他更好是人之本性，我們又何須對人對己如此苛求。

每一個人都有高貴的權利

01

那天，接到一個許久沒聯繫的大學同學的訊息，問我是不是還在成都。

我說，是啊。

她很高興。「我剛好來辦事，要待幾天，那聚聚吧？」

於是我們約在星巴克見面。

這個同學大學畢業後去了上海，當時去的是外商惠普公司，可後來聽說又跳了幾次槽，她的近況因為不大聯繫，我也不太清楚。平時倒是常看見她在社群裡發照片，都是去一些高大上的地方，各種吃喝玩樂，感覺過得挺不錯的。

在星巴克裡看見她，也是一身幹練優雅的打扮，跟學生時代的感覺完全不一樣了。然後我們就聊起了近況。

她感嘆說：「還是成都好啊，上海房價嚇死人，憑我們這些工作一般、家境普通、又沒靠山的人，不知道什麼時候才能買得起一個小窩啊。」

我奇怪：「你應該早在上海買房了吧？上次看你貼文，把你爸都接過去了，還拍了照片，一家人其樂融融的。」

她說：「這你也信？那是我老大的家，我爸過去玩，租的房那麼小怎麼睡得下？這才去和我老大擠幾天的。我最近都在想，要不還是回成都算了，在上海壓力真的好大。」

我說：「不管怎麼說，成都和上海還是不能比的，你看你過得多自在啊，世界各地都讓你跑了好幾個圈了。你要待在這裡，肯定沒發展前途的。」

她說：「跑個什麼啊，那只是做做樣子，跟在老大的屁股後面走過場，辦公事而已。」

隨即她嘆了口氣：「也只有和你們這些知根知底的老同學說說我的煩惱了，在別人面前，我得隨時隨地都裝著很吃得開的樣子，把自己最光鮮亮麗的那一面拿出來。不然你知道的，這個社會大部分人是看表面的。你表面越光鮮，別人才越會覺得你吃香，才願意和你合作，你也才有更多機會。」

這個老同學的家庭情況我是知道的，她老家在四川一個小縣城。國中時她爸媽就離婚了，她還有一個弟弟，和她一起都跟了她爸爸。她家庭條件不好，大學是貸款讀完的，前幾年才把貸款還清，除此之外，她還要供她弟弟讀書。她爸爸就是很普通的一個工人，十幾年前就退休了，開了個小雜貨店。後來身體不好，雜貨店也沒繼續開。

我還記得大學時我們談起各自的願望，她的願望最簡單，工作後給她爸爸買一間房子，陪他安安心心地度過晚年。

我問她還記得這個願望嗎？她感嘆，說當時大家都覺得這個願望太樸實了，可就是這麼簡單平實的願望，她現在要實現卻還是很難。因為她每個月薪水的一半都要寄回家裡，剩下的要交房租，她根本存不了錢，哪來的錢買房？

02

幾天後，我看到這個同學又在社群發照片，依然是高大上的環境，依然是各種看起來過得很好的言辭。

我點了讚。

我想起她說的一句話：「為什麼我過得再艱難，卻仍然要把最光鮮的一面展示給別人看？除了有可能得到更多的合作機會外，就是為了刺痛那些看不起我、不喜歡我的人的心！」

我知道她說的那些人是誰。是在國中時就把她和弟弟拋下，去過自己幸福日子的母親；是和她談了五年戀愛號稱要讓她成為世上最幸福的女人，最後卻扔下她，和家境良好的乖乖女結婚的前男友；是一直看不慣她，到處說她壞話，並設計陷害過她的同學小W。

或許還有很多我並不知道的那些人，因為那些人的存在，所以，我覺得她美顏自己的生活給他們看也很正常啊！難道要她把自己真實的窘迫發在朋友圈讓這些人圍觀？她腦袋又沒出問題。換作是我，我也同樣怎麼驕傲怎麼來。世界那麼亂，驕傲給誰看？

就驕傲給那些傷害過我們，嘲笑過我們，陷害過我們的人看啊！

現在很多人一邊滑手機一邊吐槽：「我朋友圈每個人都總在旅遊、吃大餐、收禮物，每個人都一副人生贏家的樣子，呵呵，裝什麼裝啊？」

其實，任何頭腦沒出問題的人，恐怕都沒有把自己最淒慘的一面赤裸裸呈現在人前的癖好吧？

你不能要求每個人都老老實實在網路上播報關於她真實生活的紀錄片。社群媒體，充其量是個藝術片的匯聚地，大家時時播報一下自己被美化後的生活，讓看到的人都感覺自己過得很好，很快樂，充滿正能量，不是很正常嗎？

非要看到他人淒慘的一面，你心裡才舒服？但就算你把別人的生活底細扒個底朝天，對你，又有什麼好處？

有句老話：家家有本難念的經。每個人其實都有自己生活的煩惱，都有不可與人傾訴的「真相」，你又何必那麼殘忍，非要撕掉別人生活的濾鏡，讓每個人都把自己赤裸裸地呈現在你眼前？

何況你又怎麼知道，他們的驕傲，一定是裝給你看的呢？

就像我同學，她的確夠驕傲，但我知道她並不是裝給我看的。她依然是那個心地善良，作風樸實，人品正派，想要給爸爸買房子的好女孩。

我清楚她的為人，所以我也理解她的驕傲。

有些驕傲，只是順勢而為；有些驕傲，只是迫不得已；更有些驕傲，只是維護自尊。世界那麼髒，總有些驕傲需要裝。你又何須如此諷刺：「你不過是在用你的光鮮，掩蓋你的難堪。」其實這世間，又有誰不是曾經或者正在難堪著的呢？

03

聽我媽說，她小時候正是中國最困難時期，一大家人經常吃不飽。很多小孩餓極了就跑到街上的館子裡，搶著吃別人啃過的饅頭、剩下的菜底。

但就是在這種情況下，她和她兄弟姐妹也從不亂吃。

有一次，為了逗她吃，有人把菜倒在地上，裡面還有些肉骨頭，故意對她說：「來吃啊，沒人吃過的，送你的」。旁邊很多小孩眼睛都直了，她也眼饞了，正在猶豫要不要去吃，我外婆看見了，揪著她的耳朵就把她拉回了家。

外婆劈頭教訓了她一頓說：「人家把你當狗，你要去吃了，就是丟我們一家人的臉！」

我媽說，外婆最要面子，那時窮得飯都吃不起，但她們一家人卻還穿著皮鞋。外婆出門，必須要把衣服整理得整整齊齊，把皮鞋擦得晶亮。

如果那時有網路，想必我外婆的社群一定是各種光鮮亮麗，怎麼高大上怎麼來的吧？

我媽把外婆的這種習慣稱為「要面子」。

其實，要面子，又何嘗不是維護自尊的一種表現？

以前有位老藝術家，年輕時是大小姐，後來被人迫害，直至去刷馬桶，做粗活，手指上都是繭了，但她卻還保持著在下午用煤氣爐烤蛋糕的習慣。

現在大家都對這位老藝術家的「精緻」生活方式讚不絕口。但是，如果那時有網路，當這個刷馬桶的老藝術家烤完蛋糕，發照片在朋友圈時，是不是也會有人出言諷刺：「一個刷馬桶的還裝什麼裝啊！」

你又何必如此殘忍，一定要拆穿別人刷馬桶的真實身份？你又憑什麼認為，刷馬桶的就不配發烤蛋糕的照片？是誰規定刷馬桶就只配發刷馬桶的照片？在品嚐蛋糕的時候，相信這位老藝術家是從心底裡覺得自己高貴著的。

每一個人都有覺得自己高貴的權利，每一個人都有將自己最光鮮的一面展現出來的自由，因為這是每一個人尊嚴的體現。

就像每一個人在社交場合，都需要得體的著裝，得體的舉止，得體的妝容。如果這都算做作，如果這都算虛偽，那我真無話可說。

其實，懂得維護別人的「面子」，也是你的一種善意啊。

每一個人都有覺得自己高貴的權利，每一個人都有將自己最光鮮的一面展現出來的自由，因為這是每一個人尊嚴的體現。

有一種愛，讓你變得更自卑

01

我以前剛當老師的時候，做過一個班的輔導老師。

有一天，我和幾個老師正在看日本電影「七夜怪談」。觀影氣氛正好時，有個學生突然打電話來，說她不想活了，要去跳樓。說話的語氣非常激動。

我嚇慘了，趕緊跑到她宿舍去。

那女生淚流滿面，一臉的生無可戀，心如死灰的說：「老師，我真的不想活了，生活太艱難了，活不下去啊……。」

我問她到底什麼事，是不是失戀了，男朋友劈腿了，被有婦之夫糾纏，懷孕了，流產了……。

女生驚恐地看著我：「老師，我還沒談過戀愛呢。」

原來，這個女生的媽媽非常強勢，她自幼就活在她媽媽的專制統治之下，從來不允許有任何一點自我意見。

她媽媽管她管到什麼地步呢？

她穿的所有衣服鞋子，都必須按照她媽媽的審美觀來，連一個小飾品都不放過；對於她的髮型，她媽媽也有一套嚴格的審核標準，比如，一定要紮上去，按照某種方式捆起來，橡皮筋用錯了都不行；甚至讀大學之前，連用什麼牌子的衛生棉，穿什麼樣式的內褲，她媽媽都要干涉。

在媽媽「無微不至」的照顧下，我欣慰地看到，這個十八歲的花樣少女，像是從幾十年前穿越來的一樣，渾身上下都散發著濃郁的中年婦女審美風。

因此，她經常被室友們取笑，自己也很自卑。她很羨慕那些自由自在的女生，想要改變自己。於是，她和同學一起去買了很潮的衣服，寒假的時候勇敢地穿在身上。

就是這麼一件小事，她媽媽就發飆了。

她媽媽說：「天啊，你看你這是什麼奇裝異服，醜出天際還正大光明穿在身上？」、「你馬上給我脫下來！」、「什麼？你不脫？」、「我怎麼生了你這樣一個女兒，你是要把我氣死啊，我辛辛苦苦把你養大，就為了讓你這麼大聲對我說話……。」（此處省略一萬字和一萬斤口水）

本來女生還想堅持一下的，但她媽媽不停嘮叨不停嘮叨不停嘮叨……最後，她只得妥協了，然後她媽媽滿意地笑了。

好吧，這是一件小事，她也忍了。

令她想要跳樓的是這樣一件事。

之前，她讀什麼大學，選什麼科系，完全是她媽媽給她決定的。可是，進了大學之後，她發現她的興趣完全不在本科上，她的興趣是編導。

於是她說，她要轉系。

結果可想而知，她媽媽堅決不允，還放言：「你翅膀硬了是不是？敢跟父母作對？你懂什麼！」

她氣炸了，覺得這輩子都逃不脫她媽媽的掌控了，想想自己的人生都做不了主，還有什麼趣味？她心灰意冷，想乾脆死了算了。

當然，最後她沒死成，學校針對她的情況派我主動和她媽媽聯繫了，各種勸說她媽媽要尊重孩子的興趣，這才總算把她媽媽說通。

但除了這點，她媽媽在其他問題上，依然寸步不讓。

每年寒暑假，她都要換上符合她媽媽品味的衣服回去，回學校後再換回來，好像在玩變形記。

她說：「每次看到她媽媽滿意的笑容，她都覺得好搞笑。」父母自以為還像小時候一樣，掌控了孩子的一切，但實際呢？

02

其實我自小也生長在一個相當專制的家庭。但和其他專制家庭不一樣的地方在於，我家的專制專制得特別平等。平等的地方體現在我爸有我爸的霸權主義，我媽有我媽的霸權主義，他們誰也不臣服於誰。所以他們的日常就是吵，吵，吵，但直到吵完他們也沒有達成任何協議，依然各持己見。

一旦他們吵起來，我爸就要求我無條件站在他的陣營，我媽也會來求我無條件站她那邊。

但我也有自己的意見啊，結果就變成了我被兩方夾攻。他們說不過我，就開始一起罵我，用的理由無非是：「敢跟大人頂嘴？沒樣子！」

直到現在，我爸秉承的理念依然是：長輩說話，小輩就不能插嘴，不能有意見，只能聽著，無條件接受。而我媽則擅長訴苦：「辛辛苦苦把你養大，你就是這樣對我說話的？你就是這樣忤逆我的意見的？」唉，我心都傷透了。

以前，我不吃我爸的訓斥，但很吃我媽的訴苦。只要她一訴苦，我就感覺自己有罪，只得無條件妥協，哪怕明知她是錯的。於是，在不知不覺中，我的人生被他們的意見給支配了。

比如，大學畢業後，我本來是想要找更符合自己興趣的A方向工作，但是我媽堅持認為：A方向的工作特別不穩定，工作量也大，所以她一定要我去找B方向的工作。

父母給出的理由是：聽我們的沒錯。我表示不想去，我媽就開始訴苦：「辛辛苦苦把你養大……。」

於是我只得去了。

做了幾年，無法忍受，最終還是從機構裡跳了出來。我爸媽為此大發雷霆，覺得我變壞了。

我還有一個朋友，她媽也超級專制。

朋友買房子，要裝修，她自己找室內設計公司設計了幾套方案。她媽聽說了，千里迢迢從外地趕過來，看了這幾套方案之後，表示必須全部推翻，按照她的設想來裝修。

我朋友：「媽，這房子是我住啊。」

她媽：「我知道啊，照我的來，絕對沒錯，不然你遲早後悔。」

我朋友早已經敲定方案，並付了訂金，馬上都要開工了，這一推翻，得搭上多少時間精力進去啊。朋友表示耗不起，不接受。

她媽於是開　了碎碎念模式，做一個櫃子也念，換一個燈泡也念，反正中心思想就是什麼都不行。

完工一年了，她媽居然都還在念。那天打電話還在說，「你那個馬桶不衛生啊，我跟你說，你還是換成蹲式的……。」

朋友也是無語了。

03

明明早就已經結婚生子，但父母還總喜歡把你當小孩，什麼事情都要來指點一番。

如果光是指點也還罷了，怕就怕只要你不聽他們的意見，不採取他們的建議，他們要麼大發雷霆，要麼淚眼婆娑，總之軟硬兼施，一定要逼得你按照他們的要求來。

有多少人還受著這樣的困擾？你知道他們其實是愛你，想你好，但這份愛，卻著實讓人感覺透不過氣來。

父母總喜歡把子女當小孩，卻沒有意識到，這個小孩早就已經長大了。不只是身體，他的人格也長大了，完全可以自己支配自己。

他有獨立人格，有自己的思想，自己的喜好，自己的追求。他是個獨立的個人，不是屬於任何人的物品。這個時候，倘若還像小時候一樣事無鉅細務必要他一一聽從，除非他甘願做個沒有靈魂的提線木偶，否則，真的無法不受困擾，無法不抗拒。

子女一旦抗拒，很多傳統型父母不僅不會感到高興，反而會認為，孩子「變壞」了，所以他們往往會以更加強硬的態度，企圖壓下子女們的抗拒。

像我那個學生，她的媽媽什麼事情都要親自替她決定，她以為是為女兒好，但實際上，她的所作所為一直都是在不停告訴她女兒，媽媽不相信她的審美，不相信她的選擇，換句話說，是在一次次否定她女兒的能力。

所以，那個女學生其實一直都很自卑。

似乎很多的父母都認為，孩子只需要愛，不需要尊重。什麼東西只需要愛，不需要尊重？寵物。寵物最聽話，你叫牠做什麼牠就做什麼，因為牠不是人，沒有思想，沒有人格，你的命令，牠無條件服從。但孩子不是寵物啊。為什麼就不能把子女當成是一個獨立的人來尊重一下呢？

尊重一個人的意見，尊重一個人的想法，尊重一個人的喜好，尊重一個人的追求……這些才是尊重一個人的正確方式。

人需要愛，但是也需要自由。兩者同樣重要。其實，很多父母未必不懂，只是很難做到。

我覺得最難的愛人方式，就是父母愛子女的表達方式。

以前我和女兒看紀錄片「我們出生在中國」，看到大熊貓媽媽看著熊貓寶寶終於學會爬樹、無言告別的那一幕，內心頓時五味雜陳。

有一句話：世界上所有的愛都是以「在一起」為目的，只有父母對子女的愛，是以「分離」為目的。也許我們可以故作灑脫，但這份分離真的讓人難受且不容易做到。

可是，只有將這份不捨與牽掛藏在心裡，瀟灑地把孩子推向自己的人生之路，這才是最為真摯的愛吧。

每個人都有自己的人生，尊重一個人的人生，就是給予他最為真摯的愛意，也是給予自己的最為真摯的愛意。真正的愛應是我們互相注視，但我們的人生各自負責。

事無鉅細都要強加干涉，那不是愛，而是自私的佔有。

尊重一個人的意見、想法、喜好與追求，這些才是尊重一個人的正確方式。人需要愛，但是也需要自由。兩者同樣重要。

征服—配不上自卑獸—

大聲說三次：
自己是獨一無二的，
沒人比我更優秀。

篇貳

活成自己想要的樣子

小心翼翼・委屈鬼

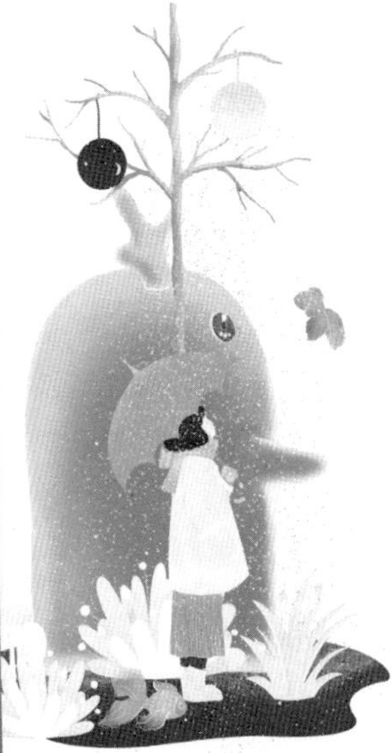

在意別人如何評價自己、在意自己是否符合別人眼中的標準，活得委屈、小心翼翼。

你越小心翼翼，越是無足輕重

01

以前，我看過一篇文章。作者在裡面講了她在法國留學時候的一件事情。

當時，她去買褲子，走進一家商店，拿起一條褲子怯生生地問店員：「可以試穿嗎？」店員態度相當輕蔑，說：「可以。」

她試穿後發現不合身，便又去拿了大一號的，再次詢問可不可以試穿，店員此時已經超不耐煩了：「可以！」

結果仍然不合身。

當她再次拿起大一號的褲子想要試穿時，店員卻直接拿走它，並指著她說：「你不可以再試穿了！」

她當時全身冷汗直冒，恨不得鑽進地縫裡，為掩飾窘迫，只得買下了一條十分昂貴的項鍊，結果是，接下來的一個月時間，她只能啃乾麵包過活。

其實，發生在留學生身上的事，在我身上也發生過。

當年，我還很稚嫩，跑到隔壁寢室借電熱棒。我很樂觀地以為，大家都是熱心腸的同學，幫個忙不過是小case，卻忘了平時幾乎沒和她們交往過，哪來深厚的同學情誼。

我推開她們寢室的門，一眼看到所有人都戒備地望著我，我突然不知所措了，一下子緊張得不得了，說話的聲音變得又細又小：「可以借一下你們寢室的電熱棒嗎？」

沒有人應聲，她們都詫異地看著我。我於是更窘迫了。

最後，幾個同學冷漠地搖了搖頭。我覺得無比丟臉，不等她們搖完，扭身就跑了。

回去後，我很鬱悶，覺得不過就是向她們借電熱棒，又不是跟她們借錢，更不是請她們救命，何必擺出一副高高在上的姿態嗎？於是，我得出的結論是她們人品太差了！

後來，當我在社會上累積了一些經驗，再回想當初的事情才知道，有時候別人擺出一副高高在上的姿態，還真不是別人的錯，而是你先把自己擺在了一種低姿態上。

雖然看不見當初自己的樣子，但想必一定是一副畏畏縮縮、尷尬而不自然的表情。

這時，別人看你的眼神冷漠又奇怪，也不足為奇了。

一開始提到的法國留學生也在後來明白了，為什麼別人可以不斷試穿，而她卻要被店員鄙視？

是因為她怯生生的態度，以及對自我的輕視，都在告訴店員：「你可以欺負我！」

O2

生活中常有這樣一類人，他們心地很好，人品也不差。他們也很聰明，總是費盡了心思，小心翼翼地努力去猜測別人每一句話裡的含義，力保自己說出的話，不會得罪任何人。即使說錯一句話，也會讓他們懊惱許久，自責許久。

他們也相當懂禮貌，見到所有人都熱情地打招呼，別人也報以微笑，看上去似乎混得還不錯。但其實，點頭之交已經是他們和別人關係的極限了。

雖然他們為了考慮每個人的感受，費盡心機，常常弄得自己很累，但結果卻總是被所在的群體若有若無地排斥、孤立、冷淡。像是有一面無形的牆，阻擋住了他們和他人關係的更進一步發展。

所以，在一個群體裡面，常常是其他人都已經交往到一定的深度了，他們還依然和每個人維持在點頭之交上。他們很苦惱，不知到底是哪裡出了問題。

說到這裡，我覺得有必要講講我媽了。我媽是個社交達人，在現實生活中混得風生水起。

兩年前我才把她從家鄉接出來，可現在她對這個城市的熟悉度遠遠高於我，在這個城市建立的人脈遠遠強於我。

我現在出門，都要靠她來指點路線。無論我說的地方有多麼偏僻，她都一臉雲淡風輕：「哦，那裡嘛，上次我才和X姐去過，你走哪裡哪裡就到了。」

在這個城裡我生存了十年，結果現在她是城市達人，我是外來打工妹。

而且，永遠不停有人往我家送禮物。今天是張姐送了我家犛牛肉，明天是李姐送了我家車梨子，後天是羅姐提上來兩籃土雞蛋……

關鍵是，我媽既不是土豪，也不是身居高位，她就是一個普普通通的中老年婦女。更關鍵的是，我很少看見她送別人禮物。可別人就是奇了怪了，有好處都要想著她。

我一直覺得她的人格魅力是個謎。有次就向她請教人格魅力養成大法。結果她說：「一人在群體裡面一定要有特點，不然，別人憑什麼記住你呢？別人連記住你都不能，又怎麼可能喜歡你呢？」

原來我媽無論在哪個群體裡面，總是第一個發表意見，她說她才不管她的意見有沒有照顧到每個人，有沒有令所有人都滿意，更重要的不是意見本身，而是說出自己看法這件事。

只有說出了自己真實的看法，你才是最真實的一個人。

03

在電影中有很多的群眾演員，他們或許出現的頻率並不低，但是，你喜歡過哪個？

讓我們喜歡，讓我們恨的，不總是那活生生的主角和大反派嗎？

為什麼我們對他們印象深刻？為什麼群眾演員都是面目模糊？因為主角們都真實。他們真實，就在於他們擁有自己鮮明的個性。

在生活中，一個人如果因為太顧慮別人的看法，而模糊了自己的個性，那麼他在別人的眼裡，其實就是一個群眾演員。

有一句話說：有多少人恨你，就有多少人喜歡你。換句話說，沒有人恨的人，肯定是沒有人喜歡的。別人喜歡你，是因為你身上具有的某些特質惹人喜歡。同樣地，別人討厭你，也是因為你身上的某些特質讓他覺得不爽。

奇特的是，往往一個人身上的同一種特質，有些人就是喜歡，有些人就是討厭。如果你害怕被別人討厭，那也意味著，同時你也拒絕了一些人的喜歡。

其實，你大可不必為了討好別人戴上面具。你企圖面面俱到，結果必然面目模糊。你怪別人記不住你，存在感低，那你要想想，你有沒有讓別人記住的特點？你把自己藏在厚厚的面具裡，你的存在感就輕飄飄得像一個幻影，可有可無。

你挖空心思想要讓每一個人都滿意，卻成效甚微。因為這個世界上，無論你怎麼做，總會有人不滿意。就像我們寫文章，你寫雞湯，有人說你媚俗，你寫乾貨，有人說你無趣，你寫玄幻網文，有人說你低級，你寫嚴肅文學，有人說你古板；你接地氣一點，有人說你像女流氓，你文青一點，有人說你做作，你腦洞大開，有人說你無聊……。

永遠有人不滿意。那你何必為了別人的目光，把自己變得如此卑微呢？

討好別人、迎合別人，別人就會喜歡你？

真相是：你越小心翼翼，越是無足輕重！你放低了自己，抬高了別人，他們都看不到你了，更別說喜歡你啊？就像文章開頭的法國留學生和學生時代的我，為什麼會那麼畏畏縮縮？還不是因為我們太在意別人眼裡的自己？

我們生怕說話的聲音太大、姿態太高傲，會令對方不喜歡。於是，我們透過身體語言和說話聲音特別強調了對對方的尊重。然而，過度的尊重就變成了自己的卑微，此時，我們已經把對方擺在了過於誇張的高位上，他忽視甚至鄙視我們，也都不足為奇了。

所以，你心地很好，你人品不差，你很聰明，那就別把聰明浪費在面面俱到上了，你又不是錢幣，做不到人人喜歡。

把你的個性真誠地展現出來，坦坦蕩蕩做自己，不用怕得罪人，自然就可以贏得某些人的喜愛和尊重。至於那些不喜歡你的人，你又何必浪費精力去理會他們呢？

其實，你大可不必為了討好別人戴上面具。你企圖面面俱到，結果必然面目模糊。你怪別人記不住你，存在感低，那你要想想，你有沒有讓別人記住的特點？

你眞的不那麼引人注目

01

從小到大，我都很羞澀，最怕的就是當眾發言。比起陌生人，我更怕熟人。我寧願去仔細端詳電影「咒怨」裡那個沒下巴的女孩，也不願當著熟人的面展示自己的各項技能。我認為他們會取笑我。即使臉上沒表現出來，心裡也一定在取笑我。我媽經常恨鐵不成鋼地對我說：「大方點你會死嗎？」這句話的效果很明顯，我從此以後更加不大方了。我媽澈底失望了，把我的羞澀歸結於基因突變。

後來我接觸到心理學，才知道這種羞澀的個性，它是源自一個人嬰幼兒時期的經歷。比如，我家族裡的長輩們都有一個共同的愛好，他們非常喜歡逗小孩，最擅長的事就是挖一個坑讓他們往裡面跳，然後看著小孩出醜的樣子，指指點點，哈哈大笑。

這種不真誠的玩笑，很容易在一個小孩子稚嫩的心靈上，塗抹難以驅散的陰影。比如，有一回他們就逗我說，我不是我媽親生的，是我媽去爬大山春遊順便撿回來的。他們說得煞有介事，連我媽撿我時，我肚臍眼上還沾著一大塊正方形的泥巴，都被描述得清清楚楚。

我當然是不信的。雖然他們的演技很逼真，但作為一個有原則的小孩，我不會輕易相信任何沒有憑據的事。

於是他們翻出了一塊花布，言之鑿鑿地說我被撿到時，就包著這塊尿布。我仔細研究了那塊布，發現它確實很陳舊，還帶有無數次洗滌過的痕跡和發黃的尿漬。我震驚了，就把希望的目光投向了我媽，希望她能說清真相。然而，我媽不置可否，唇角還帶著一抹謎樣的微笑。於是，我接受了這個「事實」，嗚嗚地哭了，還越哭越大聲。當我哭到了某一個階段，正為自己的命運涕淚橫流的時候，他們又告訴我，他們是騙我的，然後就指著我哈哈大笑。

經常被如此捉弄的結果，就使我變得異常小心謹慎。我再不肯在他們面前做過多真實的表情，說過多真實的話，因為覺得他們肯定會拿我的一切「真實」來取笑我。但是，我又不想說假話，所以我越來越覺得最「安全」的方式，就是「什麼也不說，什麼也不做」。因為我什麼也沒有說，什麼也沒有做，自然也就沒有任何「把柄」可以被他們抓到，他們也就從我身上找不到任何可以拿來取樂的素材。我的確因此「安全」了很多年。

但是，這樣真的好嗎？

02

一個人經常刻意去做某件事，他就會養成做這件事的習慣。因為害怕被取笑，所以我也就自然而然地養成了「什麼也不說，什麼也不做」的習慣。而

「什麼也不說，什麼也不做」的習慣，反過來又加深了我害怕被取笑的恐懼心理。由於隨時都在害怕被取笑，我就不得不把注意力全部放在別人身上。我像得了強迫症一樣去拼命觀察每個人的表情、動作的細節，去翻來覆去地想別人隨口說的一句話裡，到底隱藏了多少種深刻的含義，然後再來計算自己該怎麼應付才是最安全的。

因為人總是有那麼多，所以每到和人接觸的場合，我都感覺到心理勞動強度相當大。對我來說，只有「驗證」了每個人所有的表情、動作、言語都不是在對我進行「取笑」，並讓自己的言行不出現失誤，或可以被人抓住的把柄時，我才能心安。

每到公眾場合，我就覺得自己變成了一隻高亮度燈泡，在散發光芒吸引所有人的注意。被全世界所矚目的我，怎麼能夠有一點犯錯或失敗呢？那麼多眼睛盯在身上，我開口說句話之前，難道不應該深思熟慮先想個四五天嗎？

當然，為了節省時間和精力，我採取的最英明的方法自然就是「什麼也不說，什麼也不做」了。不去演狐狸，自然就不會有尾巴。沒有給過自己一次機會，自然就不會有任何失誤或失敗的可能。

這表面上完美無缺，實際上傻瓜至極。因為你在杜絕「錯」的同時，也給自己失去了「對」的可能性；你在拒絕嘲笑的同時，也拒絕了掌聲；你在永遠不會失敗的同時，也永遠不會成功。而你遭遇的「錯」、嘲笑、失敗很重要嗎？重要到讓你不惜如此勞神費力、斤斤計較，也要逃避掉它們？

03

實際上，不論你我，遠都沒有自己想像中那麼令人注目。人是一種無比自戀的動物，每個人都認為自己是整個世界的主角，走到哪裡都會光芒四射。但事實上，這不過是人們自己給自己編寫的一個劇本罷了。在世界的劇本裡，張三李四王二麻子根本沒有多大區別。一個真實的情況，是人們一般不會去特別注意自身之外的人，今天早晨在你家附近的超市裡，排在你前面付帳的那個人你現在還記得嗎？是男是女？是牛是馬？是鬼是神？他穿什麼顏色的衣服，還是沒穿衣服？每個人都真的不那麼引人注目。你犯的錯、出的醜，自然也不會重要到可以進入其他人的生命。所以，你就是犯點錯、出點醜，對於他人來說也根本不是一件重要的事情。

小的時候我們力量弱小，總是很容易被傷害，但是現在我們已經長大了。小時候的習慣只是延續下來的，你只是習慣了這樣，於是便認定自己天生就是這樣，卻從來沒有想過自己也可以選擇不去這樣。

羞恥感雖然不會殺死你，但它會困死你。王家衛電影「東邪西毒」裡有一句台詞：「從小我就懂得保護自己，我知道要想不被人拒絕，最好的辦法就是先拒絕別人。」

為什麼有那麼多的擦肩而過、緣份錯失、悔不當初呢？就是因為有這句話：你在拒絕一個人的同時，也拒絕了你們之間所有的可能性。你在拒絕一次挑戰的同時，也拒絕了成功和失敗的所有可能。你拒絕了所有，蜷在原地瑟瑟發抖，雖然保證了「安全」，卻毫無滋味可言。

這樣的人生，有意思嗎？

電影「墮落天使」裡也有這樣一句台詞：「每一天你都有機會和很多人擦肩而過，他們有可能會成為你的朋友，或者知己。」因為這樣，我總是不放過每個和人摩擦的機會，有時會把自己搞得頭破血流，但是，管它呢，開心就好。

你覺得呢？

人是一種無比自戀的動物，每個人都認為自己是整個世界的主角，走到哪裡都會光芒四射。但事實上，這不過是人們自己給自己編寫的一個劇本罷了。

一輩子不長，別和消耗你的人在一起

01

以前讀大學的時候，我們宿舍有個女孩，大家叫她小美。

小美是我們宿舍最美的女孩，走在路上都會經常被男生搭訕說「你好漂亮」。從小到大身邊也不乏追求者。即使穿著普通，依然能看出優美的身段。即使不施粉黛，依然能隨時光彩照人。

有一次，她生病住院，我們去看她，她虛弱地躺在病床上，微微朝我一笑，換其他任何一個普通點的人設，在臉色憔悴蓬頭垢面，說不定牙都沒刷的時候，這微微一笑的效果有多震撼，大家不想也知道，同為女生，我居然被她那微微一笑給吸引了。我被她的美完全征服了，暗自裡以可以隨時隨地近距離欣賞這位美女的美而竊喜。

為了表達對她的欣賞之情，我給她畫了很多幅畫。有個男生看到畫上的她，對她展開了猛烈的追求。這個男生後來成了她男朋友。

有一次，我們一起出去玩，男生全程都在誇小美漂亮，眼裡盛滿了寵溺。回來後，我們表示了強烈的羨慕嫉妒恨，小美也滿溢著幸福。我們都為她感到高興。

但是，時間久了，男朋友慢慢地就不誇她了。不僅不誇她，還經常貶損她，前後態度對比，完全就是兩個極端。

有次我們又一起出去玩，小美偶遇一位男生當街搭訕。她男朋友一臉諷刺，指著小美對我們說：「你們看，她這樣居然還會有人搭訕？那人眼睛有問題嗎？」

我們都說，小美很不錯啊，美女被搭訕很正常啊。

她男朋友一臉震驚：「她這樣的還叫美女？你們是沒見過美女嗎？」

小美越來越鬱悶，因為她男友和她在一起時，要不就嘲笑她長得醜，要不說她太肥了，說她顏值被高估了，然後列出各種證據來證明她長得明明很一般。言下之意，他這樣的條件，要不是真愛怎麼可能和小美這麼差的女生在一起。

小美已經被她男友嚴重洗腦，嚴重地懷疑起自己的顏值，昔日的自信也一掃而光，經常對著鏡子裡的自己唉聲嘆氣：

——我長得真的很一般啊。

——腿也真的好肥。

——看起來好像路人啊。

——我以前怎麼有自信接受「美女」這個稱號？

我聽了之後簡直驚呆了：「她男友是想要上天嗎？」

02

有一種醜，叫伴侶覺得你醜。

身邊不乏一些女孩，她們總是在嫌棄自身。比如我朋友小A，她就老是嫌棄自己皮膚不夠好，鼻子不夠挺。所以她去做了光子嫩膚和墊了鼻樑。做了後，她又覺得做得不好，看起來很假，很不自然，不是天然的，非常不滿意。

其實小A雖不是什麼大美女，但長得也還過得去，化化妝應付日常完全夠了。可她老公卻總是嫌棄她。比如，老公公司聚會，她老公會說：「你長這樣，去了就是給我丟臉，所以我還是不帶你去了」。後來她看到聚會的照片，就問老公：「小李不也帶他老婆去了嗎？他老婆難道有我好看？」老公說：「別人老婆哪裡比你差了？你還真是不自量力啊。」

她埋怨老公從來不發她照片到朋友圈。老公說：「你長這樣，發出去也不怕別人笑話。」她忍無可忍說：「我是長三隻眼了，還是肥得像豬了？」她一定要老公發一張，結果，老公在眾多好看的照片裡，找了她唯一醜的一張發了出去。很多人留言說「笑死了」，她氣死了。

她老公一臉得意：「你看，叫你不要發，你要發，你還不承認自己醜？」

在她老公的調教下，小A成功地收穫了一顆超級自卑的心。她不滿意自己的容貌，不滿意自己身上的每一寸地方。她隨時隨地都處在懷疑自身的嚴重矛盾中。

除了取笑她的容貌，她老公還有一項技能，是取笑她的能力。比如，她向老公吐槽工作上的煩惱，從來不會收到什麼安慰或建議。她老公只會一臉鄙夷地說：「這麼點小事你都處理不好？你怎麼混的？」她瞬間感覺到自身的渺小，覺得自己能力好差。而她老公的形象是那麼的高大上，她覺得在他面前自己完全是螞蟻一般的存在。

從這個案例可以看出，小A的老公透過貶低小A、給小A洗腦的各種手段，成功地樹立起了自己高大上的男神品牌，同時成功地改變了小A的自我認知，讓她在偉大的自己面前俯首稱臣，甘拜下風，最重要的是，成功摧毀了她的自信，讓她終日惶恐不安，成為必須依附於他的存在。

03

總有一些男人，以貶低自己伴侶，給伴侶挑刺為樂。這些男人說得好聽點是嘴賤，說得不好聽點是犯賤。

生活中，有一種濾鏡叫作「別人家的」：別人家的孩子永遠是五講四美好青年，自己家的孩子永遠是道德敗壞小笨蛋；別人家的女朋友永遠是膚白貌美大長腿，自己的女朋友永遠是黑皮貌醜蘿蔔腿。

不是有句俗語叫作「別人碗裡的飯比較香」嗎？小孩子經常是這句俗語的奉行者。

明明自己手裡有一模一樣的玩具，可就是想要別人手裡的；明明自己碗裡的飯和別人的一模一樣甚至還好點，可就是想要吃別人碗裡的。他們不會發現自己手裡東西的好處，只要是別人手裡的，就一定是好的。

這是什麼心理呢？這就是人性中的貪欲。小孩子總覺得別人手裡的東西好，是因為他們想要，想要……看自己「想要」的東西，自然是自帶濾鏡，怎麼看怎麼高大上。而對已經到手的東西，他們就不屑一顧了，甚至都不加珍惜。無論這東西有什麼優點，在他們眼裡都是如此一般，因為他們每天都看到，司空見慣了。

比如，電影《夏洛特煩惱》裡的夏洛，當馬麗在身邊時，他從來看不到馬麗有什麼優點，對馬麗，嫌棄是永遠的主題。

那時，班花對他來說是「想要」的東西，自然在他眼裡各種高大上。後來他娶了班花，角色的地位立刻發生了逆轉。當班花在他身邊時，他又再也看不到班花的優點了。嫁了別人的馬麗卻忽然在他眼裡自帶了濾鏡，各種高大上……

張愛玲的那段「紅玫瑰與白玫瑰」的論點說的也是這個道理。

張愛玲說：「也許每一個男子全都有過這樣的兩個女人，至少兩個。娶了紅玫瑰，久而久之，紅的變成了牆上的一抹蚊子血，白的還是『床前明月光』；娶了白玫瑰，白的便是衣服上的一粒飯黏子，紅的卻是心口上的一顆朱砂痣。」

看，明月光和朱砂痣，多好的濾鏡效果啊。至於蚊子血和飯黏子，想想就乏味。張大神的比喻，簡直貼切得可怕。

所以，假如男朋友突然老是挑剔你，嫌棄你，真的不是因為你這個人變差了，需要去變得更好來取悅你的男友。實際上，無論你怎麼改變自己去取悅他，他根本就不會領情。因為問題不是出在你身上，而是出在他們自己身上。

是他們心底裡的貪欲在蠢蠢欲動。此時，無論你對自己做什麼，他們都無動於衷。比如，我的朋友小A去嫩了膚，墊了鼻樑，又怎樣呢？你變得再美，他們也看不到。而一個人要表達對另一個人的嫌棄，理由可以有無數個，你根本無法一一改善。

女人對自己外表的自我判斷，可能很多時候還是來自別人的評價。一個女生認為自己漂亮，那是因為經常被別人說漂亮。如果經常被男朋友說不美，很容易讓女生不自信。但其實，你無須如此看重你男朋友的評價，甚至無須看重任何人的評價。不是有句話：女人不是因為美麗而自信，而是因為自信才美麗嗎？其實，只要你足夠自信，你就是最美的。

假如你男朋友老是挑剔你，根本無須為此苦惱懷疑，甚至為取悅他而改變。想想你怎麼對待貪圖別人玩具，卻對自己的玩具各種嫌棄的小孩子。方法就是拿走被他們嫌棄著的玩具，給別人玩一玩，或者直接送給別人。此時，他們就會哭著吵著要回自己的玩具了。

假如你男朋友開始嫌棄你，不用遲疑，毫不猶豫地離開他一段時間，讓他暫時找不到你。過一段時間，他自然又開始想念起你的好了。

所以有時候，失去，才意味著得到；遠離，是另一種形式的勾引。

而對於男生來說，在感情疲憊期，你也不要只看到別人家的好，睜大你的眼睛，多看看身邊人，想想你當初追求女友時，是被她哪些地方吸引，其實，她當初吸引你的地方，一個也沒有變啊。

兩人能走到一起，是一種緣份。懂得珍惜，才能讓兩人的感情走得更遠，保持得更長久啊。

女人不是因為美麗而自信，而是因為自信才美麗，其實，只要你足夠自信，你就是最美的。

眞正的愛情，是因爲妳是妳

01

大學時，我們寢室有一個女孩，長得很不錯，除了有點黑。但她從不為她的黑煩惱，因為她更煩惱的是另外一個地方，她是個波霸，天然的。

我們就叫她波波吧。

在這個大街都是「飛機場」的「太平」世界裡，天然波霸的波波真的是稀有動物。好多太平公主都很羨慕她，甚至嫉妒她，但她真心煩惱透了。

首先，在普通內衣店裡，根本買不到波波能穿的內衣。她的內衣，全部都是在一個專門的店裡訂做的，她根本無法挑選款式。那時，她最擔心的事就是那家店倒閉。她經常做的噩夢，夢裡都是她找不到那家店了，或者是那家店不肯給她做內衣了。她每次哭著醒來，第二天逃課也要趕過去，訂做好十套內衣才能心安。

因為她的胸部很重，為了不讓胸部亂晃，只有把內衣的肩帶做得很寬很寬，然後調得超級超級緊。她給我看過她背上被肩帶勒出的印子。我看了後心都一緊，從此再也不羨慕波霸了。

她最討厭跑步。她說她跑起來就像電視裡的武林高手，綁了兩個鐵沙袋一樣，只不過武林高手是把沙袋綁腿上，她是把沙袋綁胸口了。那沙袋簡直讓她喘不過氣，除此之外，因跑動而引起的澎湃感，令男生的目光想要不猥瑣都不可能。

有一次跑步的時候，她突然看到她男神的目光，從此，男神再也不是她男神了。因為波波本質是個浪漫的文學少女啊，她不能忍受男生只盯著她胸部出神，她理想中的男神，一定要是個對她胸部無視的性冷淡男神。

後來，波波終於如願以償地遇見了她心目中的真命天子。那個男生，從來不看波波波濤洶湧的胸部。有一次他當著我們好幾個女生的面，直言他就喜歡飛機場，因為他覺得飛機場很酷，很性感。

他的發言讓我知道了世界有多大，口味就有多奇葩。這個男生，我們就叫他太平吧。

波波一見太平，便覺得太平骨骼清奇，一定要收為男友。

太平很傲嬌說：「可是我不喜歡大ＭＭ。」

波波覺得太平說這句話的樣子簡直太酷了，他的靈魂一定是世間最純淨的，她無論如何都要把握住。

於是，波波開始了她瘋狂的小胸計劃。她要把她尺寸巨大的胸部縮小成Ｃ罩杯！

她不停健身，瘋狂節食，穿超緊的內衣……一切可以想到的方法，她都不顧一切用到了自己身上。

別人都在想方設法豐胸，她在想方設法減胸。

幾個月過去了，波波終於勉強把胸部縮小到了C罩杯，人也瘦成了一根竹竿，本來就不白的臉色顯得更黑黃了，說話都是有氣無力的。

但是口味奇葩的太平很滿意她這副輕得隨時可以倒下的樣子。於是，波波終於成了太平的女朋友。兩人不鹹不淡地相處了一年。

一年後，太平提出同居。

我們都勸波波不要那麼豪放，但是她說，太平那麼煙波縹緲的性冷淡樣，和她同居肯定不是為了和她發生關係。於是她勇猛地和太平在校外租了一套房，開始了純潔的同居生涯。

順帶說一句，為了在這一年裡保持C罩杯，波波簡直吃盡了苦頭，節食節到得了胃病，經常嘔吐。

不久後，我們都發現波波的狀態變了。本來為了節食，最近一年她吃東西已經變成了慢動作，但和太平同居後，她突然一下子恢復到了三十二倍的快轉狀態。她大口大口把那些菜往嘴裡塞，好像幾年沒吃飯了似的。

原來，兩人同居後太平突然口味突變，一定要波波回復成波霸狀態。說好的靈魂純淨的男子呢？說好的性冷淡呢？

波波說，太平只是好奇，想研究一下波霸和飛機場到底有什麼不同。她為太平嚴謹的科研精神而感動，要盡全力配合他。於是波波又開始了艱難的豐胸過程。以前是節食節到吐，現在是猛吃吃到吐。

超級波霸的波波終於又回來了，內衣又在她背上掛出紫印，她又開始做買不到內衣這種噩夢。

我們問她，你喜歡這樣嗎？

波波說，她討厭死了，煩死了。可是太平喜歡啊，只要太平喜歡就好，她無所謂。

可是後來，太平又說她太胖了，要她胸大，但其餘部分不能長肉。這個難度系數太高了，但波波毫不畏懼，勇往直前啊。為了太平，她也是拼了。

然後，在波波勇往直前的時候，煙波縹緲的太平劈腿了一個外語系女生，把波波給無情地拋棄了。

波波把自己蒙在被子裡哭，一邊哭，一邊吐，因為她一會兒減肥一會兒增肥，腸胃已經被徹底搞壞了。她直到現在，還一直飽受胃病困擾。每次一犯胃病，疼得大汗淋漓的時候她就會想起太平，此時，她就覺得全世界的髒話都不夠用了。

02

不論我走到哪裡，總能聽到一些朋友的抱怨。

有一個在網上認識的朋友，跟我抱怨說，男朋友嫌她眼睛不夠大，她在想要不要去開個眼角。另一個認識的年輕媽媽，在群裡抱怨說，生了孩子胸部好像縮水了，她老公有點嫌棄，她在猶豫要不要去豐個胸。

連有一次我去三亞旅行，飛機上坐我旁邊的女孩也在哀嘆，說她男朋友上次說她皮膚不夠白，不夠細膩，身材也不夠苗條，她很焦慮，覺得世界末日快到了，要和我探討各種美容減肥心得。

看看網上的那些文章，什麼「如何贏得男神的心」、「男人喜歡什麼樣的女孩」之類的也是一抓一大把。

女孩們為了投老公、男朋友所好，也真是夠拼的。但是，你們在為了他而想要改變自己的時候，問過自己的意見嗎？想過他為什麼捨得讓你改變嗎？

波波明明不喜歡自己胸部很大，但因為太平喜歡，她就把自己的意見棄如敝屣，全心全意地去滿足太平。明知減肥增肥都很痛苦，明知會給自己的身體帶來傷害，她也要排除一切艱難險阻，吃盡世間所有的苦頭，只為了滿足太平的審美。

她覺得這就是愛。愛怎麼可以沒有犧牲呢？犧牲越大才證明愛得越深啊！她愛得越深，愛得越奮不顧身，太平才會更愛她，他們的感情才會更牢固啊！

波波的犧牲的確大，愛太平愛得也的確夠深，然而有什麼用？太平還不是劈腿劈得爽歪歪？

所以，你愛得深，你為他犧牲一切，關他愛不愛你什麼事啊。

你肯為他犧牲，最多只能說明一個事實：你愛他夠深。你愛他夠深和他愛你怎樣，有關係嗎？你愛得深，所以他也會愛你更深。這是什麼邏輯？

03

大學時我交過一個男朋友。他各方面都是我喜歡的，只除了一點。他喜歡我留很長的頭髮，不准染不准燙，不准化妝，夏天穿裙子一定要長度到膝蓋以下，而且一定要我穿那些老土得掉渣的款式。

對，他就是傳說中的直男審美。

剛開始時我還勉強配合他一下，到後來，我簡直要瘋了。我看著鏡子裡面二十世紀八〇年代淑女風的自己問，這怪物是誰啊？

我覺得不能忍了，於是我再也不管了，我去染燙了頭髮，想怎麼打扮就怎麼打扮。剛開始，他驚呆了，一定要我把一頭黃髮給染回黑長直，我假裝沒聽見。

他很不高興地說：你看你像個什麼鬼樣子。我理都不理，被囉唆急了我就回：「我就這樣啊，我就這副鬼樣子，你又不是第一天認識我」。再後來，他就再也不規定我的穿著了，因為他知道他說了也沒用。

你以為你不聽男生的話，他們就真會和你分手，真會影響你們的感情？朋友，別這麼舉輕若重好嗎？愛情中，不是天天都在考試，有時得有點無賴精神。你只要擺出一副無賴的表情，他根本奈何不了你好嗎。他們有時候只是嘴賤，有時只是想宣佈一下他們對你的主權。

嘴上說你胖你黑，你就認為他們是真嫌棄你胖你黑？如果真嫌棄，他們不會和你在一起。如果真嫌棄，他們早轉身走了，還等得到你在這裡糾結：我男朋友嫌我不夠白，這可怎麼辦？

本來挺好的，本來只是個玩笑，可誰叫你要將玩笑當了真？

拼命放低姿態，不惜委屈自己，去滿足他們。他們遲早會被你高高地捧起來，習慣了你的委屈和低姿態，從而，越來越不把你當成你自己。他們會覺得他們的意見逐漸變成了聖旨，一宣佈，你就必須要執行。

張愛玲那句話：「愛你低到了塵埃裡，在塵埃裡開出花來」，還是別去相信的好。塵埃裡的環境這麼惡劣，哪裡能開出花？有花也禁不住天天踩啊，早被踐踏死了。

塵埃裡的花，不過是女人的意淫。如果你在愛情裡真的低到了塵埃裡，只能說明兩個事實：第一，你夠愛他；第二，他不夠愛你。

塵埃裡開出的花，我看不過是淚花。

真正的愛情，從不自稱為奴婢。真正的愛情，是你們互相喜歡著對方本來的樣子，而不需要對方為你做出任何的改變。真正的愛情，是他喜歡你，只是因為你是你，你喜歡他，只是因為他是他。

真正的愛情，從不需要你為對方傷害自己。

在愛情裡，你有多傷害自己，他便有多不愛你。你以為失去了自己，就能收穫到更多的愛情？你想啊，收貨地址都沒有了，你還收什麼愛情啊！

拼命放低姿態，不惜委屈自己，去滿足他們。他們遲早會被你高高地捧起來，習慣了你的委屈和低姿態，從而，越來越不把你當成你自己。

這個世界不光看臉，還看你的姿態

01

大學畢業找工作。我琢磨著要把自己給包裝一下，讓自己顯得成熟點，於是就跑去買衣服。

我先去了某大型購物中心，想著好歹買點上檔次的品牌服裝。結果一看標籤，價格讓人咂舌。那時我花的還是家裡的錢，覺得父母賺錢也不容易，我一下子花掉那麼多，就為了買一套衣服，實在是不值得。

於是，我轉身去了路旁的廉價小店。我挑了一件當時我認為顯得特別成熟特別正式的大衣。我還買了一雙高跟鞋，鞋跟足足八公分。

事實證明，我太樂觀了，完全高估了我適應環境的能力。我穿著那雙鞋根本無法走路，只能站在原地擺擺pose。

當然，辦法遠比困難多。

我解決困難的方法就是提著那雙鞋去面試，在進面試房間前兩分鐘快速換好高跟鞋。十公尺內的距離我拼了命還是能夠勉強支撐的。

我還化了點妝。化妝品都是向同學借的，那時我的保養程度，只會用洗面乳而已。

我把妝化得充滿了藝術性，然後就去面試了。面試官一看我，就滿臉神秘地微笑。我還自我感覺良好，看，面試官笑了啊。

面試官問我對他們公司有什麼瞭解。我覺得我機會來了，心想絕不能一問三不知，讓自己表現得像個白痴，於是我開始侃侃而談。

或許是那天面試的人比較少，面試官很有空，他一直在聽我發揮，時不時在臉上浮現出那種神秘的笑。我把自己各項技能都吹到頂點，一邊吹一邊想，原來我有這麼多優點啊！面試官終於打斷了我，叫我回去聽通知。我高興得差點沒飛起來。氣氛好融洽有沒有？面試官好友善有沒有？我覺得我被錄取的可能性有百分之兩百。

兩天後，我收到一封郵件，言明我沒有被錄用，並詳細說明了我沒有被錄用的原因。

他們說，從我進門開始，他們就發現我走路的姿勢很奇怪。於是他們仔細觀察了我的鞋，發現是鞋跟太高。同時，他們還詳細審視了我的服裝、頭髮、指甲，還有妝容。他們得出的結論是：從我的頭頂，到我的腳，每一寸的打扮都和我整個人的氣質完全不搭調。包括我後面的即席發揮，這些人精們都可以明顯看出，我不過是在虛張聲勢。

他們說，適合別人的不一定就適合你。一個連自己的外表都不知道該如何打扮，不懂得揚長避短，不能帶給周圍的人舒服觀感的人，也不能奢望他對自己的工作會有多瞭解多認真。

我目瞪口呆啊：這理由也可以有？不就是看臉嗎，還說得這麼高大上？

02

數年前我清理衣櫃，看到一件黑乎乎的、好像是我媽的衣服。拿出來一看，我嚇了一跳，竟是畢業時我買的那件面試服。

我再度看看它的款式，想不通當年為什麼竟有自信穿這樣一件衣服去面試！真的不會被當成神經病趕出來？這衣服拿去給我外婆穿也毫不違和啊！天哪！當年我眼睛是進水了嗎？

我還看到了我選的高跟鞋，那誇張的顏色和款式莫名有股濃濃的夜店風。

我終於懂了那位面試官臉上神秘的微笑。如果是讓現在的我去面試當年的我，我也會毫不猶豫地把當年的我給淘汰掉。

幾年前，我跟隨系裡的老大去面試了幾個新老師。大家正襟危坐，裝模作樣地提了幾個問題。面試完後老大問我的意見。我毫不猶豫地向他推薦了裡面看起來最舒服最順眼的一個。

老大再問其他老師的意見，基本和我相同。最後老大也點頭：「其實，我一開始就覺得她不錯。」

在看臉這件事上，大家心照不宣。正常的人都是喜歡美好的事物的。你就是去買雙拖鞋，你也得挑個好看點的不是嗎？不然為什麼會有那麼多選美比賽，沒有選醜比賽？

所謂愛美之心人皆有之，假如你是顏控，很正常啊。因為大多數人都是顏控啊。那些宣稱自己從不看臉的人，你們不也一樣看到喜歡的偶像會尖叫？即使你嘴巴沒有尖叫，你心裡也在尖叫。

03

當然，生來就是大美女大帥哥的人，在這個世界上畢竟是少數。但是，自幼就享受著藝術熏陶的我，要告訴你，在這個世界上，真正醜陋的人和真正美得像天仙一樣的人一樣，同樣少得可憐。大多數人其實只是普通人。

有一段時間我畫畫，無論是坐公車，還是在菜市場，我都仔細觀察過每個人的臉。我從不同人的臉上看出了N多種不同的美感，非常獨特，他們自己卻沒有發現。

如果把他們那種獨特的美挖掘出來，發揚光大，還真不比明星差。可是他們不知道，他們根本不瞭解自己。他們總是穿著和自己整體屬性不搭調的衣服，化著千篇一律的妝容。

其實，即使擁有的是貌似普通的面孔，但只要你足夠瞭解自己，懂得揚長避短地打造自己，那你整體看起來即使達不到驚艷的程度，也會帶給旁人一種很舒服、很順眼的感覺。

比如，你臉長得比較著急，但是你腿很長，那你就不要去穿那些讓你顯得老氣的衣服，或把你的腿給遮起來。你完全可以選擇有點色彩感、活潑一點的衣服，同時再露出你的大長腿。

所謂顏值，就是你知道自己該怎麼打扮才最好看；所謂顏值，就是把你魅力的最高水準發揮出來。即使五官不可改變，但是任何五官都有最適合的一套修飾方式。你不知道，只是因為你沒有去嘗試，沒有去尋找。

很多時候你看起來糟糕，不是因為你真的糟糕，而是因為你選擇了不恰當的打扮方式。就像剛剛大學畢業的我一樣，我根本不知道該怎麼打扮，於是選擇了那套災難一樣的服裝，生生把自己打扮成了中年婦女和夜店風的結合體。

因為那時，我根本不瞭解自己。我看到別人穿得很成熟，我也就仿效；我看到別人都穿很高的高跟鞋，我也照穿；我看到別人化妝，我也跟從；我看到別人面試時口若懸河，我也勉強自己一定要神侃胡侃。我侃了那麼多技能，心底卻根本不知道自己真正有哪些優勢，也難怪會被淘汰。

一個人連自己的形象都管理不好，只有兩個可能：一是不重視，二是不知道。很多情況是兩者皆有。

因為你不重視，所以你就不知道。如果你連自己的形象都不重視，你憑什麼要求別人重視你？如果你連自己的形象都管理不好，你憑什麼要別人相信你，可以管理好你的工作？

這個世界就是個看臉的世界，因為你的臉你的形象寫滿了關於你的一切訊息：身材發胖，必定是飲食無度，缺乏鍛鍊；臉部油膩，鬍子拉碴，必定是不愛整潔；臉色黯沈，必定是作息不規律，身體不健康；服裝搭配凌亂，必定是沒有品味，不夠重視瞭解自己。

這麼多有參考價值的訊息，都一覽無遺地呈現在別人面前，你還能說別人看臉只是膚淺？

所以，請重視自己的形象，並管理好自己的形象。你把自己管理得井井有條，就是無時無刻不在向別人展示你強大的管理能力和自控能力，別人才會因此重視你，並相信你。

你的外表，就是你個人品牌的展示。所以，你得像打造品牌一樣，去精心維護你的外表。

你把自己管理得井井有條，就是無時無刻不在向別人展示你強大的管理能力和自控能力，別人才會因此重視你並相信你。

放掉—小心翼翼委屈鬼—

滿足別人的眼光太累，

坦坦蕩蕩做自己就好。

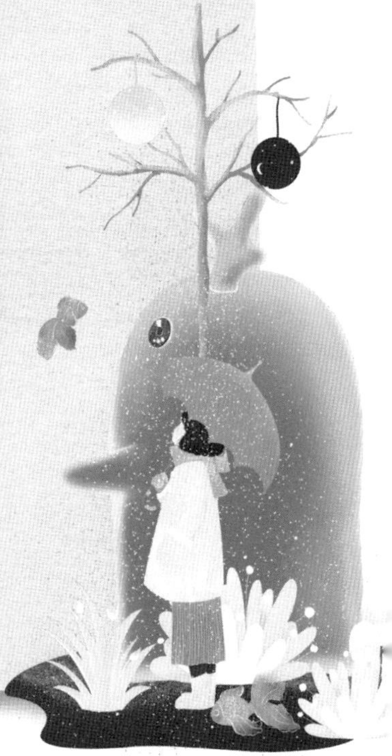

篇參

我不是你的同類

同溫層・將就怪

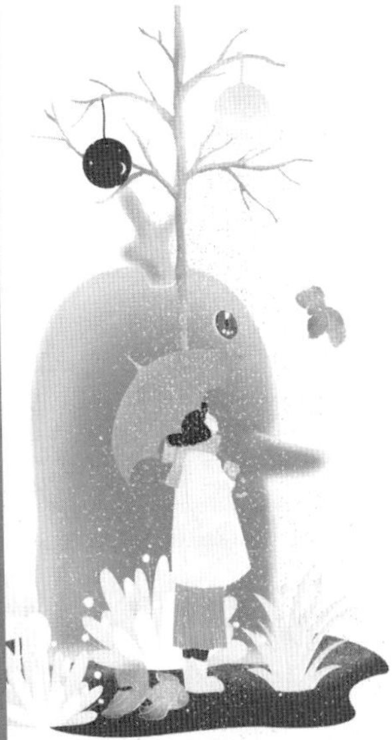

口頭禪：「大家不都是這樣嗎？」，喜歡把他們的失敗感、平庸感無條件放在別人的肩頭，一起來替他們分擔。

其實，我就是不想成爲你的同類

01

我有一個同事笑笑，她的男朋友叫小餅。他和笑笑是大學同學，兩人從同一所學校畢業，但是由於小餅在校時表現不佳，所以就業的競爭力完全比不上女友笑笑。笑笑很快就找到了工作。但小餅就慘了，正式畢業都大半年了，工作還是沒有任何著落。

此時，笑笑已經轉正職，薪水都調高了一大截了。笑笑安慰小餅：「沒關係，我的薪水也夠兩個人花的了，你也不要著急，慢慢找吧。」小餅太感動了，於是完全遵照笑笑的指示，真的慢慢找了。

週末，笑笑看小餅窩在房裡看電影，就勸他：「現在去人力銀行網站看看，說不定有適合的工作哦。」小餅表示不想去，並納悶地責問笑笑：「你不是說要我慢慢找嗎？你是不是嫌我了？」笑笑怕傷小餅自尊，就不再催他。

小餅被養慣了，後來乾脆連工作也不找了，整天窩在家裡打遊戲。笑笑每天辛辛苦苦上班，完了還得買菜做飯，像伺候大爺一樣伺候小餅。

時間長了，笑笑也有了怨言，有了分手的想法。小餅卻在這時提出結婚。

笑笑一時不忍，兩人畢竟在一起好幾年了，說分還真是捨不得。笑笑說：「先不忙結婚了，你找到工作再說。」小餅說：「你什麼意思？」笑笑說：「你想結婚，有錢嗎？沒錢結什麼婚？」

小餅不以為恥，反而說：「沒錢就不能結婚？結婚登記才多少錢？我哥們和他老婆結婚，就是先登記，房子都還是租的。你看看別人，現實一點吧，大家不都這樣過的嗎？」笑笑說：「可我就是想要新房子，就是想要辦酒席！先辦登記就想娶我？我沒這麼廉價！」

小餅說：「妳想要房子宴客，叫你家裡出錢啊，我哪來的錢給你結婚宴客，買房子？你又不是不知道我家裡的情況！」笑笑快氣死了，下了決心和小餅分手。

小餅看了笑笑一眼說：「得了吧，妳這樣的，除了我，誰還肯要你？你還是現實一點兒吧，別到時弄得沒人要。」笑笑說：「我沒人要也不找你。」

幾年後，「沒人要」的笑笑嫁給了一個客戶。那位客戶儀表堂堂，優雅有品，經濟實力雄厚，哪是小餅那個渣男可以比的？

02

有多少人對你說過這句話：現實一點吧，大家不都這樣嗎？

在大學的你想要努力學習，考上研究所，還想出國留學，周圍的人一臉訕笑：「憑你？別做白日夢了。你還是踏踏實實想想怎麼找個糊口的工作吧，人要現實一點，大家不都這樣嗎？」

你去相親，對方卻是個渾身散發著猥瑣氣質的噁心男。你表示拒絕。介紹人一臉不屑：「憑你的條件，不是只配得上這樣的嗎？你現實一點吧，你看某某和某某某不還是在一起了？大家不都這樣嗎？」

你的男友從來不貼你照片到社群，有次破天荒貼了一張，你一看，我的天啊，這麼醜的照片究竟是怎麼拍下來的？你表示抗議，男友一臉不屑：「你不就長這樣嗎？現實一點吧！」

你在朋友前表示一下對某位成功男士的傾慕，朋友一臉不屑：「就憑你這樣，也就是某某（某猥瑣男）配你了，別人那麼優秀，你別做夢了，現實一點吧！」

你去應聘工作，回來後信心滿滿，表示對面試成功的把握很大，他人一臉不屑：「別人肯要你？某某公司（某個很差的小公司）能要你就算不錯了，你現實一點吧！」

你想要趁年輕追求一下夢想，他人聽了簡直沒笑掉大牙：「夢想能當飯吃嗎？別天真了。我們都不過是普通人，大家都是混吃等死而已，你找個能把生活過下去的工作就不錯了，現實一點吧，大家不都這樣嗎？」

「現實一點吧，大家不都這樣嗎？」

「我現實啊，現實你大爺啊！」

其實這句話有兩層含義。第一層含義反映著說話人潛意識裡的自卑，後一層含義則完全是說話人的自我安慰。

正是因為他們如此平庸，如此自卑，所以他們也必須要讓你和他們一樣平庸。只有他們周圍的人都和他們一樣過著「平庸」的生活，他們才能慰藉自己平庸的狀態：看，不是我一個人這麼平庸，是大家都這麼平庸啊。

「大家」的平庸讓他們忽視掉自己的平庸，所以他們心理平衡了，可以心安理得地繼續混吃等死下去。可是，當身在他們周圍的你，居然表示出「想要不平庸」的企圖，會讓他們瞬間意識到你和他們不一樣，或者你想要和他們不一樣。

他們會產生恐慌。此時，他們絕對不能容忍身旁的你，會變得比他們優秀，所以，他們必須要打擊你。

他們自以為用「我們」、「大家」就可以成功把你歸為和他們一樣的同類。

以前，我有個渣同學，她對所有的人說的話都是這樣的：

——今天，我們又逃課了。

——這次考試，我看我們都過不了。

——我們從來不去圖書館。

——我們面試都失敗了。

其實，明明是她自己逃課，考試過不了，從來不去圖書館，面試失敗，但她非得說成「我們」，無條件把她周圍所有人都匡進去。為什麼呢？

因為這樣說，犯錯感、失敗感就在無形中被更多的人分擔了，最後落在她身上的感覺就自然而然變輕了。

所以他們說話，向來都是「大家」、「別人」、「我們」……。

他們最擅長做的事情，就是把他們的失敗感、平庸感無條件放在別人的肩頭，一起來替他們分擔。只要說了「我們」，他們就瞬間輕鬆了。

——我們不就都這點程度嗎？

——我們不都是普通人嗎？
——我們不都被生活所迫嗎？
他們從來不敢說：
——我不就這點程度嗎？
——我不就是個普通人嗎？
——我不就被生活所迫嗎？
只要改一下表達方式，你看，效果明顯就不一樣。他們憑什麼要把自己的自卑，無條件地讓我們替他們分擔？

03

「現實一點吧，大家不都這樣嗎？」沒有比這更加苟且而無恥的話了。這句話簡直把苟且上升到了自豪的高度。

你不作為，不代表我也不作為；你自甘平庸，不代表我也要自甘平庸；你將就，不代表我也必須將就；你沒夢想沒追求，不代表我也沒夢想沒追求。

社群裡有個網友，她第一次高考，只考了個專科。父母老師同學朋友都勸她去讀，說她能考這樣不錯了。她媽媽的原話：你成績一般，天資有限，能考上就不錯了，憑你難道還想考清華北大？別做夢了。她堅持重讀了一年，結果還是專科。嘲笑如潮水般湧來，她媽怒了：「你別再丟人現眼了，現實一點，大家不都這樣？」她還是堅持沒去讀。再次高考，她考了個一般的大學，忍耐著眾人揶揄的眼神，她咬牙去讀了。

在大學裡她一刻也沒放鬆，因為她的目標是北大研究生。大學畢業後，她考上了。她說，如果當時聽了她媽的話，真去讀了專科，表面上看起來似乎也沒什麼，但其實那已經代表著對「現實」的一種妥協。從心理上來說，她就輸了，也許就不會再有那麼大的決心去考北大研究生。

什麼是現實？某些人口中所謂的現實，不過就是他們的平庸現狀。某些人口中所謂的大家，不過就是和他們一樣自甘平庸的人群。

沒有比嘲笑夢想更惡意的行為了，沒有比歌頌平庸更卑賤的姿態了。

你以為你守著的是現實？因為現實不可改變，所以你才不得不平庸。看起來你好無辜，實際只是你根本不想也不敢改變現狀。你根本就不想付出，也捨不得努力，更害怕失敗，所以你的現狀才如此不可改變。你的現實，完全就是一塊石頭，僵化成只會壓在你身上的石頭。

但其實現實是水，只要你努力地游，總有一天它會送你到上游。一輩子隨波逐流的人，永遠無法看見上游的風景。

你周圍的人不停勸你將就、湊合，大家都這樣，是因為他們自身的現實早成了牢牢壓住他們的石頭，他們不甘一個人如此，便想拉更多的人來陪伴。

其實，我就是不想成為你的同類，我就是要把你拋下，我就是不想成為你的「們」。因為你的現實，不等於是我的現實。別把你們的自卑，強加在我的身上。我不是你們的同類，我沒必要用我的人生去幫你減輕自卑。

所以，你繼續你的怨天尤人，自甘平庸，我繼續我的沈默不語，勇往直前。你別惡毒，我也沒必要憤怒。

我就是不想成為你的「們」。
因為你的現實，不等於是我的現實。

不是因爲優秀了才酷，而是因爲酷本身就是優秀

01

小D從小是個乖乖女。屬於爸媽叫她做什麼，她從來都不會反抗的那種。她爸媽有句口頭禪：「爸爸媽媽是不會害妳的。」她一想，也覺得有理，這個世間，誰會比父母更愛自己啊？他們怎麼可能會害我？

於是，遇到問題，她也懶得思考了，凡是她爸媽說的話，她就認為一定有道理，凡是她爸媽要她做的事，她就認為一定是對她有好處的。

高考填志願，她完全不知道怎麼填，爸媽給她建議：讀師範。女孩子，以

後就教書，工作穩定又受歡迎。她其實不大想讀師範，但想父母是不會害她的，何況自己對這些專業也不大懂，於是就聽了父母的話，全填了師範。

結果她高考成績不理想，只被專科錄取。她想重讀一年。爸媽說：「女孩子，重讀一年年齡就大了一歲，畢業時間也會推遲，能考上就不錯了，去讀吧。」於是她聽父母的話，去讀了。

畢業前夕，她想專科考大學。爸媽說：「考什麼大學啊？我們把關係都給你找好了，你畢業後直接進某某單位」。於是她畢業後回了家鄉，進了父母給她找的工作。

是間小學，工作比較簡單，但薪水也少，她有些迷惘，想要去北上廣（北京、上海、廣州）闖蕩。爸媽勸她：為你這份工作我們走了多少關係？賠了多少笑臉？那麼多年輕人去了北上廣，又怎樣呢？工作普通，又辛苦，壓力又大。你要去了，連買房都成問題。你就在爸爸媽媽身邊，有個輕鬆又穩定的工作，多少人求還求不來呢！小D一想也是，於是就打消了去北上廣的想法。

過段時間爸媽說：「女孩子，趁著還年輕趕快去相親，早點結婚生子，有好處。」小D本來不想去相親，但想到爸媽總不會害自己的，於是也就配合了。

多次相親後，爸媽給她選出了一個「各方面條件最理想」的相親對象，要她和對方交往。小D本人其實對這個「完美」相親對象完全無感，但想爸媽總不會害自己的，於是，她順從了父母的意見。

一年後，兩人順理成章地結了婚。小D的父母高興得合不攏嘴。婚後，小D的父母要小D趕緊生孩子，說女孩子早點生育，對身體有好處。小D於是有了孩子。

結婚久了她才發現，和老公根本不合，而且老公和她結婚也只是迫於家庭壓力，對她沒什麼感情。

在她父母認為的「完美工作」中，她也沒感受到任何好處。在她父母認為的「完美婚姻」中，她並沒有感受到任何幸福。小D就這樣淪為了生活中一個庸常的人，不知道自己想要什麼，渾渾噩噩地被生活推著走，處處感到身不由己。

02

一個年輕人如果要成功地淪為一個庸常的人，最快捷的辦法，就是不加考慮地讓別人的意見來指導自己的生活。

小D的父母的確不會害她，他們也的確在勞心勞力想要為她選出最「完美」的人生道路。但那些「完美」是受他們自身眼界見識所侷限的。他們雖有經驗，但那些經驗，往往都是過時的。況且，父母永遠捨不得讓子女吃苦受累。所以，他們為子女選的道路，一般都是「安逸的」、「不會有任何危險的」、「鐵飯碗」的道路。因為在他們那個年代，有個鐵飯碗就代表著人生的巔峰。

但他們根本沒有意識到，環境是會變的。對於這個已經改變了的環境，他們從沒在裡面打拼過，所以根本不熟悉。因此，他們為子女選的「最好的」道路，很有可能只是幾十年前「最好的」道路。幾十年前的最好還等於現在的最好嗎？

在我「殺馬特」（模仿視覺系搖滾的誇張造型，中國青少年的次文化。）的時代，我媽總是一臉嫌棄地看著我，恨不得和我斷絕母女關係。她從頭到腳地批判我。她看不慣我的髮型，看不慣我奇奇怪怪的打裝，她感到很惶恐，沒有安全感，認為我瘋了。那時，我一定要留很長的瀏海，擋住眼睛，儼然以為自己是二次元裡的人物。她說看到我頭髮擋眼睛，她心裡就發慌，每次見我都一定要我把瀏海全部梳上去。我不梳，她就各種威脅。

對於我的父母來說，「殺馬特」造型完全是一種超越了他們時代的東西，他們從來沒有見過。

一個人乍見以往生活中從來沒有出現過的東西，總會下意識地恐慌，從而否定。因為沒見過，所以不瞭解，因為不瞭解，所以不知道它是否「安全」。對於安全性能未知的東西，人總是惶恐的。

比如，我爸以前超級仇視智慧型手機之類的電子產品，認為它們是讓人類墮落的罪魁禍首，整天盯著手機的人就該拖去槍斃。後來他自己會用手機了，刷社群刷得比任何人都要 happy。

他之前之所以仇視智慧型手機，只是因為這東西他從沒見過，完全不瞭解，超出了他的認知範圍，所以下意識就否定和拒絕。後來他瞭解了，知道怎麼用了，便又覺得手機是拯救世界的存在了。

可見，一個人否定一種東西，很可能並不是這個東西不好，而是因為這個東西超出了這個人的認知範圍。

任何人的見識都是受其經歷限制的。從這點上來說，任何人的意見其實都不是完全可靠。既然任何人的意見都不完全可靠，那有必要把別人的話奉為聖旨嗎？

有一句話：「不聽老人言，吃虧在眼前。」我覺得這句話有時就是那些所謂的「老人」們想當然的想法。他們總覺得自己人生經驗豐富，「吃的鹽比你吃的飯還多，過的橋比你走的路還多」，所以他們覺得年輕人什麼也不懂，事事都要指點干涉。而實際上，有不少人吃了那麼多鹽，走了那麼多橋，總結出的經驗，也很不嚴謹？

真正的有價值的經驗，是經得起環境變遷的。而很多人的所謂「經驗」不過是對他們自己以往的經歷生搬硬套罷了。

你太聽話，一定要聽他們對你人生的各種指點，所以才會覺得你的生活與你自己格格不入。因為那其實是他們想要的人生，不是你的。

03

我周圍有太多人做事都特別喜歡詢問別人的意見。比如老陳的一個朋友想脫離體制，就詢問了周圍好幾十個人的意見，他覺得多聽別人的意見有好處。

於是他逢人就問：

「你覺得我現在脫離體制怎麼樣？」

「你覺得什麼時候脫離比較合適？」

他詢問的每個人都對他的問題有一番看法和建議，但他一路聽下來，卻越聽越迷惘。因為有人勸他盡早脫離，有人勸他遲一點更好，有人勸他就安心待在體制內，有人勸他一定要看準機會……。

聽到最後，各種意見相互衝突，他完全不知道該怎麼辦才好了。

前幾年我寫小說的時候，加入過一些作者社團。有人經常發自己寫的故事到群裡，徵求大家的意見。

於是各種意見紛呈：

「我覺得這個故事題材不好，不符合當前流行趨勢。」

「我覺得文筆太累贅。」

「我覺得文筆太平淡。」

完全被他人意見影響，甚至有些意見是完全相反的，常常會讓原作者不知道該怎麼改了。

其實，別人的意見雖然重要，但這裡擔任顧問的「別人」不是任何一個人都可以做的，並不是隨便拉一個人就可以做「別人」。除非你詢問的那個人，擁有著讓你佩服的經驗和智慧，否則，與其過多地詢問他人的意見，還不如聽從自己內心。

一千個人眼裡有一千個哈姆雷特。每個人的看法都不相同，你要聽誰的？

況且，在生活中，很多人都是遵循所謂的「常規」的。當遵循的「常規」太多就會變得平庸而無任何趣味。如果你讓一些毫無成就的人來指導你的生活，給你意見，無疑就是把你自己往庸常的道路上推。

如果你不希望自己變得庸常，那你就得酷一點。很多人會覺得酷只是一種外表的打扮，一種不苟言笑的氣質。但其實，真正的酷，絕對是內心的不妥協、不盲從。真正成熟的人，必定是酷著的。

因為他們往往擁有自己的是非標準，不會輕易盲從他人，而這些，才是酷的來源。

一個人之所以平庸，就是因為他太不酷了。

酷不僅代表著一種氣質，還代表著一種勇氣。

你不敢和其他人不一樣，那你一定不酷。你隨大流，你被別人牽著鼻子走，你覺得反抗眾人會很可怕，那你一定沒有酷的氣質。

古斯塔夫·勒龐（Gustave Le Bon）在《烏合之眾：激情、非理性、領袖崇拜，盲目群體的心理陷阱》書裡面說，群體會嚴重拉低個人的智慧，所以群體往往只擁有平庸的智慧。換句話說，群體智慧其實是小於個人智慧的。

這可以解釋，為什麼那些優秀的人一般都是卓爾不群的。因為對他們來說，陷在一個群體的意見裡面，會妨礙到他們個人的思考。

真正優秀的人，必然不大合群，所以他們身上都帶有著某種酷的氣質。人不是因為優秀了才酷，而是因為酷本身就是優秀。

酷的人敢於打破常規，酷就是一種勇敢。其實，我們完全可以酷一點，與其相信群體智慧，還不如相信自己的智慧。

指導你生活的人，他們真有超人的智慧嗎？如果沒有，又何必事事聽從別人？只有你自己才知道自己想要什麼。酷一點，You can！

擁有著自己的是非標準，不會輕易盲從他人，而這些，才是酷的來源。一個人之所以平庸，就是因為他太不酷了。

菁英隨時都準備著跳出現有圈子

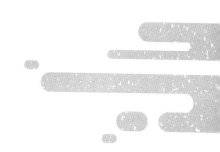

01

我高考失利後，進了一所很普通的大學。我之所以沒有重讀，是因為不想讓父母再多花一年的錢，多操一年的心。當然，另一個更重要的理由是：我迫切地想要自立，想要離開家。我不想再待在那個小城，我所有的同學都飛奔到不同的城市，我留在那裡很孤單。所以，儘管我的大學很普通，我還是去了。

我不相信一個大學就能決定人的一生，我覺得無論人在哪裡，只要努力就行。第一個學期，我很認真地學習。我雖然高考失利了，但我還可以考名校的研究生。

在那個普通的學校裡，只要你稍微認真一點，很容易就脫穎而出。學期末，我得了一等獎學金，我的生活似乎變得豐富多彩，同學或崇拜或嫉妒或不屑的眼神簡直令我飄飄然。

我回寢室，她們說：「喲，學霸回來了。」

我早晨起很早去圖書館佔位置，她們說：「喲，這麼努力啊？還當這裡是高中呢？」

我收拾書本準備去聽課，她們討論的是：「今天我們逃課吧？逛街怎麼樣？」

週五晚上我想好好睡一覺，明早去圖書館待一天，她們開始嚷嚷：「今晚通宵！桌擺起來，血戰到底！」她們邀我一起打牌，我說不會。她們一臉不屑的說：「切！還真是好學生啊，別裝了。」

寢室裡很快就形成了各種小團體。

比如，A和B愛打扮，喜歡討論服裝品牌，她們兩個就經常一起去逛街。C和D喜歡上網，她們就經常一起去網咖。E和F都有男朋友，她們就經常一起交流戀愛心得。

到大二的時候，主動學習的人儼然就成了傻瓜一樣的存在。

那時，我也有一個很好的朋友王小米。前文我曾提到有次去隔壁寢室借電熱棒，結果被甩白眼的事還有後續。

我回寢室後說了此事，其他人都表情複雜，唇角帶抹莫名笑意。當時我很不解，自認平時待人友好，也從未得罪過她們，不知為何她們表情會如此奇怪。後來我才知道，不管你友不友好，不與她們「同流」就自然會被人看不慣。

只有王小米，二話不說就衝到隔壁寢室大吼一句：「某某，借我！」她把借回來的電熱棒往我手裡一塞的時候，我真的很感動。

真朋友或許就是如此吧！

02

但是王小米是個逃課大王。她浪蕩慣了，心思從不放在學習上。

我拉她去圖書館，她說「你傻啊，現在誰還去圖書館，走，跟我放浪去。」我準備去上課，她躺在床上說，「別去了，我們今天逃課吧。」週末晚上我想早睡覺，她把我從床上拖下來：「來來來，跟我們一起打牌。」如果我表示不想，她就黑臉：「裝什麼裝？你還是不是我朋友啊？」

有一度，我很迷惘。王小米這麼講義氣，如果我不跟她一起混，那我不是太不夠朋友了？而且人都是有惰性的，和她在一起，玩得也挺嗨，再加上周圍的人都是一副得過且過的姿態，你想要與眾不同、背棄眾人真的很難。

於是，我整個大二都在那種渾渾噩噩的混日子中度過。幾乎一半的時間在逃課，社團工作也好久不去參加，被開除退團，圖書館更是許久不曾踏足。唯一得到的好處，就是和各位同學的關係比以前融洽了。她們不再對我冷淡和挖苦。

期末考試，我第一次作弊。數學課曠課太多，完全不懂。我心驚膽戰地拿了旁邊同學的試卷來抄。考完我還慶幸沒被老師發現。現在想來，應該是監考老師沒有和我計較。我那拙劣的作弊手法，在我當了老師之後，才知道根本不可能瞞過任何人的眼睛。

那次我數學只得了六十二分，差點被當。除了數學，我還有好幾門功課都處在六十分的及格線邊緣。

大三，學校重新調配寢室，王小米表示想要和我在一起。

我很猶豫。王小米或許是一個真朋友，但卻不是一個「好朋友」。我覺得我不能再放任自己這麼下去了，於是我沒有選擇和她繼續住同一間寢室。

王小米和我翻臉，我們的友誼也差不多走到了盡頭。

大三，我幾乎每天都去圖書館，同時，我在寢室裡也越來越孤獨。但正因為孤獨，我開始有了自己的想法。我依然逃課，但逃的是那些不能帶給我成長的課程。我泡在圖書館裡，選擇自己感興趣的知識開始自學。我沒有想到的是，那時的自學會與我以後從事的工作聯繫得這麼緊密。畢業後我從事的幾項工作，幾乎靠的都是我大三自學時得來的知識。而我大學學的專業，卻幾乎沒有派上過用場。

後來，我租了一個房間和一台電腦，開始用自學的知識做一些電腦公司的外包案子。到大四畢業，我已經做了好幾個案子。後來去找工作時，面試我的人一臉驚訝：「你的專業和你應聘的職位不搭啊！」

我就把我做的案子拿出來，我的第一份工作就是由此開始的。他們看中的不是我的學歷，也不是我的專業，而是我的能力。

其實，融入一個普通圈子很簡單，你只需要和他們做差不多的事就行。但圈子真的很重要嗎？圈子裡關係處得再融洽又如何？當你走了，圈子難道還能跟著你走？唯一能隨你走的，是你自身的能力。

03

我們在生活中，總是會自覺不自覺地處在某個圈子裡。一個人身處陌生的群體，他總會下意識地尋找屬於自己的圈子。

比如，你是一個公司的新員工。那麼，你很可能和所有的新員工不自覺地形成一個圈子。又如，你們來自不同的地域，同一個地域裡的人也會自發形成一個圈子。甚至基於高矮胖瘦美醜、城鄉背景、經濟基礎、消費能力等都會形成圈子。圈子裡的人會不自覺排斥圈子外的人。

人尋找圈子的行為，是基於安全感和認同感的本能需求，無可厚非。但是，有些人對於這種安全感、認同感的需求非常固執和刻板。他們非常害怕接觸一個陌生的圈子，只有待在自己熟悉的圈子裡，他們才會覺得自信，才會覺得心安。

他們看不到自己所在圈子的侷限性，總是得過且過。因為待在熟悉的圈子裡，就有一種「大家都是如此」的心安理得。不僅如此，他們還有一種「自己的圈子最高大上」的榮譽感。

所謂「人多力量大」，他們處在圈子的群體中，群體的行為和意見似乎也就成了「真理」，這時，只要有人有不同的想法和不同的行為，很容易就會被這個圈子邊緣化，或被視為傻瓜和異類。

大學時代，學校就是一個大圈子，寢室就是一個小圈子，如果那個圈子裡人人都「混日子」，你不混日子，就會被圈子裡的人視為異類，被排斥和孤立。

你要融入一個圈子，你就得和圈子裡的人做基本相同的事，說基本相同的話，形成差不多的行為習慣。

但是，這樣真的好嗎？

04

你所在的圈子，雖然令你很舒適，但也很可能是一鍋溫水。溫水裡泡著一鍋青蛙，每隻青蛙待在水裡，都覺得很安心，看看別的青蛙，大家相同，超有「身份認同感」。

但是，從長遠來看，或許卻很危險。畢竟溫水就是這樣把青蛙給一點點煮熟的。當其中某隻青蛙意識到所待的圈子不過是一鍋溫水，想要跳出這口鍋的時候，其他青蛙會怎麼看他？

他們只會覺得：他是瘋了嗎？他好傻啊。

聽過一個故事。

有一群原始人，住在一個山洞裡。他們從來沒有出去過。山洞裡很黑很暗很冷，但他們以為世界就是如此。有一天，一個人鼓起勇氣出了山洞，他驚喜地發現山洞外面有光，有美麗的植物還有各種動物。於是，他趕忙回來叫其他人也出去。

但是，無論他把外面的世界說得多麼美好，其他的人卻根本就不相信，他們只相信他們眼前看到的。不僅如此，他們還覺得這個人是瘋了，大家對他發起了攻擊，不接受他成為他們中的一員。

為了再度被群體所接受，這個人只好承認其他人是對的。後來，海水漲潮，淹沒了山洞，這群人就這樣被淹死了。

如果你是這個原始人，你會怎麼辦？你是返回山洞被水淹死，還是勇敢地拋棄你原來的圈子，去探索新的世界？

如果你是那口鍋裡青蛙中的一隻，你又會怎麼辦？你是寧願守著這份認同感和同伴一起被煮死，還是能夠頂住被其他青蛙排斥的壓力，勇敢地跳出這個安逸的「溫水圈」？

實際上，我們這個世界的圈子有很多。真正明智的人，從不會有根深蒂固的「圈子意識」，他們的「圈子邊界」很模糊，很開放。

他們可以和肉攤談肉價，也可以和藝術家談藝術，或者和企業家談管理。他們接觸基層勞動族群，也接觸各類菁英人士。他們從不把自己牢牢地禁錮在少數的幾個圈子裡，尋求所謂的「身份認同感」，而是以開放的姿態，承受來自各個圈子的衝擊。所以，整個世界在他們眼中是立體的，有著各種各樣的形貌。

有些人，之所以固守在一兩個圈子裡，不肯看看外面的世界，是因為他們有著很深的自卑感，害怕接觸那些高大上的圈子。因為別人的高大上，總會映射出他的 low。所以，他總是不自覺選擇低於自身水平的圈子，在那裡面他會成為佼佼者，然後以虛假的優越感來催眠自己，孜孜炫耀。

如果一個人滿足於此，那他被煮死只能說是活該。

菁英隨時都準備著跳出現有圈子，而不是懦弱地固守在裡面。因為只有勇於跳出現有圈子，才有跳入更高一級圈子的可能。

他們基本不會在某一個圈子裡停留太長時間。因為他們知道，留太久了，就一定會被這個圈子給殺死。

他們從不把自己牢牢地禁錮在少數的幾個圈子裡，尋求所謂的「身份認同感」，而是以開放的姿態，承受來自各個圈子的衝擊。所以，整個世界在他們眼中是立體的，有著各種各樣的形貌。

所謂逆襲者都是堅持到最後的人

01

許久不見的大學同學H突然在社群裡發了一張照片。照片裡的她，白皙的皮膚，穿著時尚，笑容大方，擁有著一種難言的魅力。

大家紛紛按讚。我心內是一驚的：這真的是H？什麼時候變得這麼美了？底下的評論中，除了一整排狂叫「女神」的，也有我們共同的同學C滿懷疑問和驚訝的讚嘆：「這真的是妳？這也太美了吧！」還有另一個同學F意味深長的留言：「這自拍技術也是神了。」

無疑，很多人都以為H不過是靠著自拍和美圖，在朋友圈裡找點存在感罷了。畢竟，許多年前的她，其貌不揚，戴著黑框眼鏡，頭髮簡單地梳成個馬尾，皮膚又黑又黃還粗糙，走路也是佝僂著背。無論如何和「女神」這兩個字是搭不上邊，和「女丑」倒是莫名相配。

這麼多年沒和她見過面，她當時的形象便頑固地保存在每一個人的記憶裡。所以，當她的朋友圈裡出現了一張具有女神範的自拍照時，我們都以為她發的不過是張「照騙」罷了。

可不久後她就貼了另一張照片，是她在郊外別人給她拍的全身照。還是那麼充滿了女神典範。底下眾「美女」的評論中，依然夾雜著C和F的質疑：「你去整容了嗎？」

H沒有回覆，過幾天上傳了個小短片。影片裡的她，在健身房跑步，穿著緊身衣，身材優美，氣質優雅。這下，C和F沒有再出現。

不久後，H到成都出差，我們順便見了面。雖然H在朋友圈發了照片和短片，但我想真人恐怕總和照片和影片裡有點差距，畢竟H以前太過邋遢，對她的印象一下子糾正不過來。

見了面，我驚呆了。她真人簡直比照片還要美十倍！一個醜人怎麼會變成美女？我內心是咆哮的：怎麼可能？她究竟是怎麼做到的？難道真的是去整了容？

我問H是怎麼做到的。

H說，沒什麼啊，畢業後十幾年她就是每天堅持跑步一小時，每天貼牆站一小時，每天牛奶香蕉蜂蜜敷臉十五分鐘，絕對不去吃巧克力、冰淇淋等高熱量食品，每餐只吃一碗飯，早餐堅持吃紅棗花生黑芝麻，還有各種水果，研究服飾搭配，研究美容方法，研究化妝技巧……她看的服飾搭配、美容技巧、化妝技術的書不下百本，做的筆記不下五本……。

我覺得她簡直是在用考博士班的時間和精力來改變自身。而且，要做到十幾年如一日的堅持，其中所需要的強大的自律性簡直是任何一種考試都比不上的。光是十幾年不吃一點兒巧克力、冰淇淋等高熱量食品，我就覺得我無法做到，更不要說跑步、貼牆了。

十幾年，女丑終於蛻變成女神。每個人只看到女神的光鮮亮麗，但背後的代價是什麼，外人永遠都不知道。

02

為什麼我們總感覺逆襲的都是別人呢？

畢業後十幾年，我們很可能還是當初那個鬼樣子，最大的變化就是老了點。可為什麼有些人在讀書時明明其貌不揚，畢業一段時間後，就會像被施了魔法一樣，變得那麼光彩照人，魅力四射呢？

為什麼有些人在小時候長相普通，甚至有點醜，長大之後就會像毛毛蟲變成了蝴蝶，突然綻放出美麗的光輝了？

而我們自己，卻基本上從小到大毫無變化。小時候是醜小鴨，長大後欣慰地發現，自己變成了一隻醜大鴨。青澀的學生時代是毛毛蟲，長大後欣慰地發現，自己變成了一隻更大的毛毛蟲。

為什麼蛻變在我們自己的身上就從來不會發生？是上天太不公平了嗎？

才不是。

任何的蛻變，背後都隱藏著他人難以想像的痛苦和艱辛，還有毅力。

比如我一個同學，國中時代還是單眼皮小眼睛，但大學的時候，就突然變成了雙眼皮大眼睛。你以為是上天眷顧，免費替她做了微整形？

才不是。

一覺醒來就突然變成雙眼皮的人有，但絕不是我那個同學。她的雙眼皮大眼睛完全來自她十幾年如一日的堅持。她從國中時就開始堅持每天貼雙眼皮貼，每天做瞪大眼睛的動作一百次，按摩眼皮一百次，做訓練眼神靈動的動作一百次。每天都堅持，從未間斷過一天。

她那雙有神的美麗眼睛就是這樣被她一天天練出來的。大學時她回老家，看見她的人都說：「天哪，你變化好大，以前不覺得，現在才發現你原來這麼美！」

她說她聽到這句話都要哭了。

從國中就開始堅持啊，剛開始一點兒效果都沒有，好不容易堅持到高中，以為總該有點效果了，但現實就是現實。她還是單眼皮小眼睛。差點就放棄了，幸虧她不信邪繼續堅持了下來。直到大學，有一天睡覺起來，她驚喜地發現，她的眼睛永久地變成了雙眼皮。

自此，她的蛻變簡直是迅疾無比的。她的眼睛一天比一天美，整個人的顏值完全呈直線上升狀態。現在，她依然每天堅持著做眼神靈活的訓練動作。

假如，你看到一個女丑突然變成了女神、男神各種神，你在驚呼「逆襲」的同時，可要看到，任何逆襲，都不會無緣無故發生。任何逆襲，背後都隱藏著不為人知的艱辛。

醜小鴨不會自然而然就變成天鵝，而是要經歷嘲笑冷漠傷害才能變成一隻天鵝。毛毛蟲也要經歷痛苦的結繭才能化蝶。

03

為什麼逆襲的總是別人？因為你從來沒想過要讓自己逆襲啊。

你雖然是醜小鴨或毛毛蟲，但你從來沒想過自己有可能會變成天鵝和蝴蝶。天鵝或蝴蝶對你來說是遙不可及的事物，你從來沒有把牠們和你自身聯結起來。

你認為天鵝或蝴蝶是一生下來就擁有著美麗和光環的，而醜小鴨和毛毛蟲呢？那麼平庸，那麼醜陋，怎麼可能和這兩樣美麗的物種發生聯結？

沒有改變的欲望，就沒有改變。所以你小時候是醜小鴨或毛毛蟲，長大了就變成醜大鴨和大毛毛蟲。

而天鵝和蝴蝶並不是從天而降。事實上，所有的天鵝，都是醜小鴨變來的。所有的蝴蝶，也都是毛毛蟲變來的。

天鵝是醜小鴨的逆襲，蝴蝶是毛毛蟲的逆襲。它們之所以會逆襲，是因為它們想要逆襲。醜小鴨渴望著變成天鵝，不再受人嘲笑，可以自由翱翔天空，可以美麗而優雅。所以它才變成了天鵝。毛毛蟲渴望著變成蝴蝶，可以不再醜陋，可以擁有美麗的花紋，可以在花叢中漫步。所以它才變成了蝴蝶。

欲望，是一切動力的來源，是一切改變發生的源頭。

欲望讓人可以忍受痛苦，忍受辛勞，忍受寂寞，忍受孤獨，忍受一切。你沒有想要改變自己的強烈欲望，當然你就不會有任何變化。逆襲也就永遠不會發生在你的身上。

你說，我有改變的欲望啊，可逆襲為什麼還是不會發生在我的身上？因為欲望雖是一切改變發生的源頭，但僅有源頭，是遠遠不夠的。你雖然有變成天鵝或蝴蝶的欲望，但卻捨不得放棄醜小鴨或毛毛蟲生活的安逸。你雖然有了改變的源頭，但你卻不會讓自己順著源頭去行走。因為行走意味著風險，因為行走需要堅持和努力。行走的路上有的是痛苦和寂寞，甚至還有危險讓你受傷。

從醜小鴨到白天鵝，是一條漫長的修行之路。從毛毛蟲到蝴蝶，也需要辛苦地結繭，孤獨地蛻變。這些，都需要漫長的時間，也就需要漫長的付出和忍受。

醜小鴨不是一天變成白天鵝，毛毛蟲也不是一天就變成蝴蝶。其中所花費的時光和精力，恐怕超過你的想象。在這蛻變過程中，只有全程堅持，你才會最終達成所願。否則，就算你放棄一天，那也會前功盡棄。

你堅持了許久，還有一天就要結束漫長的結蛹期了，可你卻恰恰在這最後一天放棄了，你最終無法變成蝴蝶。你忍受不了結蛹期的寂寞和痛苦，所以你的改變，也只是想一想罷了。

可怕的是，誰也不知道結蛹期到底有多長。你以為只不過一兩天，可能它卻要長到一兩年。漫漫時光中，我們只有忍受，並堅持。

為什麼逆襲總是發生在別人身上，因為他們忍受並堅持了全程。

逆襲從來不會是突然發生的，很可能在你沒注意的時候，你身邊的醜小鴨已在漸漸長出白色的羽毛。如果你也想逆襲，首先，你就得做好改變過程會很漫長的準備。

逆襲不是一蹴而就，逆襲是一寸一寸、一點一點、一絲一絲發生的。想要逆襲，先問問自己可以堅持和忍耐多久！

醜小鴨不會自然而然就變成天鵝，而是要經歷嘲笑冷漠傷害才能變成一隻天鵝。毛毛蟲也要經歷痛苦的結繭才能化蝶。

離開

—同溫層將就怪—

不斷提醒自己：
別人口中的「大家」，
不包含我在內。

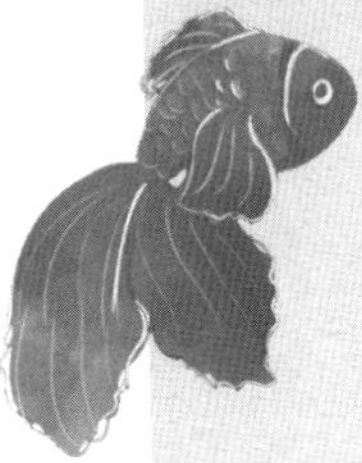

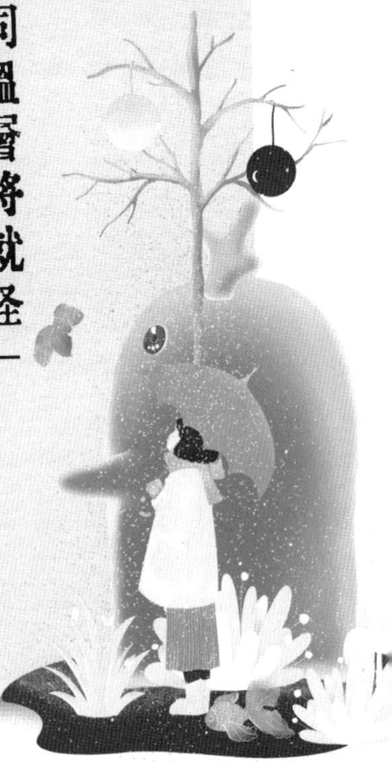

篇肆

受點傷使你更強大

害怕衝突・膽小妖

和別人關係融洽，他們就覺得安心。關係不好，他們就覺得焦慮。因為他們的安全感，完全建立在和別人的關係上。

真正的鋒芒，必然自帶三分溫柔

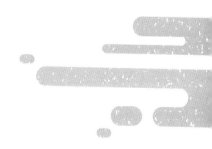

01

國中時代，我深為我的性格而苦惱。

那時，我沒有現在這麼厚臉皮，很膽小，也很害羞。其實，膽小和害羞通常都是孿生姐妹，她們之所以能夠長久地存在，往往是由於主人太過敏感。

我記得在剛上國中的時候，音樂老師請班上的同學輪流到講台上唱歌。一個又一個同學唱完了，音樂老師露出滿意的笑容。輪到我了，我開始臉紅，緊張得滿頭大汗。

站在講台上，我一直低著頭，不敢抬頭正大光明地看台下眾多雙眼睛。我很艱難地開口，聲音又細又小，幾乎沒人聽見。

走下台的時候，我明顯看到音樂老師一臉不耐煩的表情，還有一些同學取笑的眼神和竊竊私語。

過後幾天，我都沈浸在一遍遍回味這些表情的痛苦之中。我對別人的表情有著超乎尋常的敏感。

其實，所謂的敏感就是太過在意。我太在意別人說的話、臉上的表情，甚至言語背後的含義。

那時，我很怕別人會以冷漠、憤怒或是失望的表情面對我。為了避免衝突，當其他人找我幫忙的時候，我總是一一點頭應下，從來不會拒絕。哪怕明知自己沒有時間，哪怕明知幫助他會使我自身利益受損，我也做不到去拒絕他們，因為很怕他們翻臉。

更何況像音樂老師那種一臉不耐煩的表情，簡直就是我的噩夢。

後來，我換了一個鄰座同學。這個同學是個非常有個性的女孩。她說話從來不會去顧及別人的感受，總是自帶鋒芒。

比如，她搬過來的第一句話就是對我說：「你那麼畏畏縮縮幹什麼啊，難道別人還會打你嗎？」

後來，有人再無底線地找我幫忙，她就會替我出頭：「滾，她沒時間。」

我班有個男生當時正處於變聲期，很難聽，她毫不顧忌地當著眾人的面說：「某某，你就不能閉上你的嘴嗎？你聲音這麼難聽，像鴨子叫。」

還有個女生當時滿臉青春痘，她也毫不顧忌地當著眾人的面說：「某某，你每天不洗臉的嗎？你臉上的痘痘真醜。」

後來，她一個星期沒來上學。聽說，是被幾個人堵在學校外面的巷子裡揍了一頓。她再來學校，就變得沈默了許多。

我們後來談過這個事情。她說，她並沒有看見是哪些人揍她，因為他們一上來就先用布蒙住了她的頭。她覺得很有可能是那個被她取笑過青春痘的女孩，或者是聲音像鴨子叫的男孩，或者是其他人，或者是他們全部。

畢竟，被她的鋒芒刺傷過的人太多。他們每一個人都可能對她報復。

02

以前，我以為一個人敢於激怒他人，那他一定是鋒芒畢露的人。像手中握著刀一樣，刀刃輕輕一劃，就可以刺傷到別人。所謂的鋒芒，就應該是鋒利。那些具備鋒芒的人，他們一出口就直奔對方的弱點而去，不給對方留下幾次重擊決不會罷手。他們說話從不會顧及別人的感受，看起來相當勇敢和瀟脫。

當時十多歲的我總是太過於顧及別人的感受，所以活得相當不自由。而那些具備鋒芒的人，他們往往和我完全相反。

一度我曾經非常羨慕他們這種個性，直到我那位同學被打。

她努力地睜開還有些青腫的眼睛懷疑地看著周圍的每一個人，那懷疑的眼神令我感觸頗深，也引起了我的思索。我開始覺得真正的鋒芒不應該是這個樣子的。真正的鋒芒，應該不會給自己招致如此多的惡意。

但是，什麼是真正的鋒芒呢？當時幼稚的我雖然努力思索，卻仍然沒有找到答案。

後來，我遇到了一位老師。這個老師有個習慣，每節上課前總會抽幾位同學回答問題，以復習上節課所學的內容。不知為什麼，他老是會提問我。我很厭惡被他提問。雖然問題的答案我都知道，但站在眾人面前回答還是讓我渾身不舒服。

後來有一次，我去辦公室交作業，正好看到老師，於是我鼓起勇氣去問了他。老師一愣，隨即用略帶沙啞的聲音微笑地說：「因為你老是不說話，我就覺得你很神秘，我很想知道你真正的想法。」

他說得相當坦然。

這位老師，他上課幾乎從沒罵過人，也從來沒使用過什麼侮辱性的詞彙，更不會故意去刺激一個人，揭露他們的弱點。但是，他給人的感覺卻是自帶鋒芒的。

比如，課堂上有人講話，他會直截了當地說：「我非常不喜歡上我的課時，有人破壞紀律，如果你們還要講，我只好請你們出去。」

班上有幾個彈劾老師的好手，故意對他講課的方法提出質疑，他一臉平靜：「我不認為我的講課方式在現階段是不恰當的，你們如果要質疑，也請提出幾個具有說服力的理由。現在的這幾個理由在我看來實在太弱了。」

我想，原來是這樣。

在這個老師的身上，我開始初步理解到什麼是真正的鋒芒。

03

有一些人是這樣理解鋒芒的：鋒芒就是咄咄逼人，鋒芒就是說髒話，鋒芒就是罵罵咧咧，鋒芒就是貶低別人、抬高自己，鋒芒就是哪壺不開提哪壺，就是精準地刺中別人的弱點。其實，那不叫鋒芒，那叫犀利，或者叫鋒利。

如果說鋒利的人是手握一把刀對準別人的話，那自帶鋒芒的人，他們的刀並不是對著任何一個人的。他們的刀是藏在他們的心中，和自身氣場融為一體的。而且他們的刀也並不鋒利，不會割破他人使人流血受傷，但同時他們也會很聰明地保護他們自己，不會被他人所傷。

這把刀，就是他們的原則。

他們一般不會主動出手去抨擊別人的弱點，也不會因太過於顧及別人的感受而使自己受傷。他們既尊重自己，也尊重別人。

鋒利的人，往往在刺傷別人的同時，也為自己招致了和給別人造成的傷害同等的惡意。

物理學上力的作用是相互的這條定律，其實也適用於很多場景。你用刀劃傷了別人，別人在痛的同時，也就產生了想要讓你痛回來的念頭。這念頭累積，就變成了惡意。

你習慣於傷害他人，就是在為自己累積惡意。當他人的惡意累積到一定的程度，很可能便會讓你遭受到同等的傷害。

所以，從某種意義上來說，傷人也就是在自傷。

鋒利的人，將刀刃對準別人；自帶鋒芒的人，將刀刃隱藏在胸中；而軟弱的人，手中心中均無刀刃。

以前我玩遊戲，玩過一個叫「帝國時代」的經典遊戲。

教我玩遊戲的男生很奇怪：「你為什麼總是不喜歡出手去打別人呢？你要去侵略別國，才能獲得土地和資源。」

其實，不是我不喜歡去打別人。而是如果我在條件不成熟的時候就派出了軍隊，那我的國土就空了，這時，就很容易遭受到別人的侵略。

你在出力打別人的同時，也就意味著你被別人襲擊的危險也同時大大上升。解決的方法只有一個：壯大自己的兵力，然後才談進擊。

我的經驗是：堅守國土的兵力要比派出征戰的兵力更為強大。只有如此，你才能保全自己。只有保全自己，才更有可能繼續戰鬥。

你一下子就拿出全部兵力去面對外界，胸口空空蕩蕩沒一點保留，那也就意味著你的國土是無守備的，你隨時處於危險之中。

真正的鋒芒，是留有大批的兵力，而只拿一部分兵力來應付外界。所以擁有真正鋒芒的人，絕不會表現得咄咄逼人。

因為只拿出一部分的兵力，所以他們不會自帶攻擊屬性。從外表上看起來，他們很可能反而是溫和的。因為不會老是去刺傷別人，所以他們一般不會為自己累積惡意，而如果有人企圖來傷害他們，他們也絕不會允許被人所傷。

鋒芒，就是以淡然的態度堅持自己的原則。真正的鋒芒，必然自帶三分溫柔。

自帶鋒芒的人，他們的刀是藏在他們的心中，和自身氣場融為一體的。而且他們的刀也並不鋒利，不會割破他人使人流血受傷，但同時他們也會很聰明地保護他們自己，不會被他人所傷。

世界很傲慢，你要很傲嬌

01

擁有一顆異常敏感的心臟是種什麼體驗？

我覺得我可以來回答這個問題了。小時候，哪怕別人對我說話稍微大聲一點兒，我都會不安。如果他看我的眼神再帶點感情色彩，比如，冷漠、嫌棄、責備……我可以因此反省自己一整天。把那些細節翻來覆去地想，想知道究竟自己哪個地方沒做好，才讓他用這樣的眼神來看我。

有一次，因為小舅沒有給我壓歲錢，我傷心了很久。大人們都以為我是因為拿不到壓歲錢買好吃好玩的東西，所以才傷心。只有我自己知道，並不是。壓歲錢對我而言，並不重要。我認為小舅不給我壓歲錢是因為不喜歡我。那他為什麼不喜歡我呢？一定就是我的問題了，是我沒有能力讓他喜歡。於是，我成功地埋怨起了自己，得到了一種摧殘式的挫敗感。讓我傷心了很久的，就是這挫敗感。

幾十年後，我再來看「當初那件小事」，才明白了小舅不給我發壓歲錢的真正原因，和喜不喜歡我根本一毛錢關係都沒有。那時，小舅經濟非常困難，沒有工作，養活自己都成問題，哪裡來的收入給我錢？我卻因自以為的「他不喜歡我，所以不給我發錢」這個邏輯，白白折磨了自己很久。

02

實際上，只要是性格敏感一點的朋友，都很在意別人對自己的看法。

曾有一個讀者對我說，說他很在意別人的態度。他說，他和人接觸的時候，只要對方表現得傲慢、冷漠、無禮一些，他就覺得自己很丟臉也很憤怒。

別人的行為態度往往會影響他一天的心情。他說了一件事：他去拔智齒，本來心情挺不錯的，但因為到醫院的時間遲了一點，醫生就表現得特別不耐煩，態度極差。明明距離下班時間還有足足一個小時，醫生卻理直氣壯地責備他，並聲明馬上就要下班了，叫他下次再來。其間，眼神各種藐視，語氣各種諷刺，態度各種高大上，他覺得自己簡直尊嚴喪盡，心頭竄火，很想反擊回去。但因為性格問題，他還是忍了。

之後，他左思右想，由醫生的冷漠態度，又聯想到以往接觸過的很多人。然後，他發現他所接觸的人中待人接物溫文爾雅的人，竟然微乎其微，絕大多數都顯得兇蠻跋扈，自私自利。

於是，他覺得這個世界上怎麼有這麼多人都不善良？難道他們都不知道什麼叫溫和有禮嗎？越想心情就越糟糕。因為這件事，他足足鬱悶了好幾天。

他說的事讓我想起一個朋友，她買衣服從來都是網購。

為什麼呢？因為她覺得到實體店去買衣服要看店員的臉色，還要忍受店員的各種催命式推銷，感覺很無奈、心情瞬間煩躁，會破壞她一天的好心情。

她說她大學的時候，有一次就是去實體店買衣服，結果店員理都不理她，在她表示想要試一試之後，還白了她一眼，居然說這個型你穿不出來。

這句「你穿不出來」足足堵了她大半年的心。之後，她就養成了習慣，什麼都在網上買，想買什麼就買什麼，想穿哪個型就穿哪個型，所以她覺得網購很好，不用看那些奇葩店員的臉色。但網購的賣家表演的不同風格與品味也讓她很是頭痛。

我還有一個朋友，她也很鬱悶，因為她每次買了衣服，穿在身上去公司之後，總是會收穫各種「不懷好意」的點評。特別公司裡兩個女同事，老是愛說一些挖苦的話來諷刺她。

她穿一件黑色的外套，女同事就會說，「你會不會穿衣服？年紀輕輕穿得渾身黑，好死板的呢，又沈悶。」

她買個新款的鞋，女同事會說：「現在誰還穿這個款啊？真不適合你，你看我的鞋，又時髦又保暖又舒服。」

她稍微化下淡妝，女同事會冷笑打量，說長這樣還化妝，要不就說她想吸引誰的注意。

偏偏我這個朋友也很敏感，因此每次被女同事有意無意地說了後，總要鬱悶好久。忍無可忍之下，她也回過一些嘴，但似乎不起作用，甚至有一回還把那女同事給惹怒了，於是之後更加口無遮攔。

而我這個善良的朋友還在反思自己是不是說話太過分了……後來，她竟然因此跳了槽。實際上她在那家公司做得挺好，大有前途。但只因為受不了女同事的毒舌，她就選擇遠離那家公司，實在太可惜了。

跳槽之後就好了嗎？她所遇到的人就都會是真善美的化身了嗎？真相是：無論你走到哪裡，都不會是伊甸園。就算你擺脫了這個毒舌的女同事，下個毒舌的女同事也依然在不遠處等著你。

就算你逃避了這個店員、這個醫生、這個人的白眼，下個店員、下個醫生、下個白眼也依然在轉角處等著你。

你要逃避，哪裡逃得了？

張愛玲說：「生活是一襲華麗的袍，爬滿了蝨子。」如果我們每被一隻蝨子咬了都憤憤不平，傷心難過半天，那我們還怎麼有餘力欣賞到袍子的華麗？怎麼有餘力享受到穿上它的美妙感覺？

若蝨子注定不能避免，為了不讓它們咬，我們就只能把自己的皮磨厚，讓它們咬不動。

蝨子從不會咬皮厚的人。

03

大學畢業後應聘，我去一個學校試教，自覺表現非常糟糕。

接待我的面試老師，突然把我給領到了一個正在上課的教室，要我在這裡立刻試教十分鐘。那是一個階梯教室，幾百位學生意外地安靜，目光一下子全部集中到我的臉上，隨後紛紛打量我，對我指指點點，竊竊私語。

這個突發情況讓我一下子把之前準備好的東西忘得一乾二淨。情勢所逼，我只得帶著空空的腦袋，硬著頭皮走上講台即興發揮。我小腿在抖，聲音在抖，臉上肌肉也在抖，根本不知道自己講了些什麼。

試教結束後，我只覺得丟臉無比。我認為自己差到底了，恐怕不會有其他面試者有我表現得這麼可笑。我把自己想像成了一個笑話，我猜面試老師們在我走後一定會無情取笑，我猜學生們會冷嘲熱諷或是調侃不斷。

我認為我的想像並非胡亂猜想，而是有事實依據的。因為面試老師全程面癱，眼神冷靜，因為學生眼裡包含著明顯的調侃和打量意味。為此，我消沈了好幾天，認為自己定然沒戲了，卻意外接到了聘用通知。通知書上說，我表現得體，舉止大方，講的內容條理清楚，一看就是做了充分的準備，學生們的分數很高。

哈哈？這真的說的是我？

後來我到職，把當時的慌亂當作笑料爆出來，我說我自信心受打擊萬點，都快去跳樓了，曾面試我的老教師卻表示很驚訝：「你說的是真的？我們都認為你看起來很自信。」

他說我當時還講了個段子，讓他們都笑到不行。

啊？有嗎？

你看，這就是我們自己給自己編寫的劇本。我們總是認為自己很糟，而別人都很優秀。但這並不符合事實。

想像力一直在欺騙我們。特別敏感的人，大多是想像力非常豐富的人。別人的一個眼神，自己的一次失誤，在他們的想像裡，總是會被無條件放大。

就像我小時候因為小舅沒給壓歲錢，我的想像力就很盡責地給我找了個根本不符合事實的理由，導致我傷心了很久。

還有因醫生態度惡劣而影響了心情的那個讀者，因女同事的毒舌而跳槽的朋友，都是因為想像力太過豐富，而給自己帶來了不必要的困擾。

有時，你覺得別人不友善，很冷漠，你的想像力就會告訴你，是你的原因造成的。但實際上他的態度不能說明任何問題，或許只是習慣，或許只是面癱，或許只是疲憊，或許是其他原因。

敏感的人，總認為他人的一舉一動都隱藏著對自己的某種態度，所以他們說話會緊張，思前想後，一定要說出「毫無破綻」的話，但實際上，你真沒那麼重要，別人也沒有這麼細心。

不是每個人都將眼睛死死盯在你身上，所以你就算出一點錯，也在情理之中，不是不可饒恕的罪過。就算有人看不慣你，看不起你，心裡不爽的也是他而不應是你。

你沒有責任因為別人的不爽，就捨己為人讓自己陪著他一起不爽。他人的任何態度，不過是你人生舞台上的一個佈景而已，影響不到你分毫。

有一句話說，沒心沒肺活著不累。很多時候，你只需要做一隻看著前方的單細胞生物，自己快樂就行了，又何必浪費精力去管他人眼光。

有時，你覺得別人不友善，很冷漠，你的想像力就會告訴你，是你的原因造成的。但實際上他的態度不能說明任何問題，或許只是習慣，或許只是面癱，或許只是疲憊，或許是其他原因。

這個世界上是有妖怪的

01

中年男人和年輕女孩的故事，你見過多少？我就見過不少。

第一個故事：

小D是個剛上大學的女生，長相清純，透過交友軟體認識了一個本地的大叔。大叔四十歲上下，經常帶她出去玩，美其名說：「給你做個免費嚮導，帶你熟悉城市。」

室友們都覺得大叔動機不純，要小D遠離。小D根本不信，因為大叔對她從來都是彬彬有禮，兩人雖經常出去玩，大叔從來沒有對她動手動腳過，而且，不到天黑必定準時把她送回學校。有時小D還想多玩一會兒，大叔就一臉正色地教育她：「女孩子，天黑了在外面不安全。」大叔說看到小D就想起自己的女兒，想把小D當女兒一樣疼愛。

小D覺得大叔很紳士，很溫柔，很照顧她，簡直是同年齡幼稚男生不能比的。而且大叔還超有思想，經常給她一些處世的建議，給她介紹一些值得看的書籍和電影什麼的。帶她去的地方，也往往是很優雅很高檔次的環境。

漸漸地，小D覺得自己喜歡上這個大叔了，被他成熟穩重幽默的氣質迷住了。大叔再約她出去，她開始不鎮定了，她開始渴望和大叔有一些親密的接觸，渴望大叔能親口對她說些甜言蜜語。

但是大叔超淡定啊，表現基本和以前相同，似乎並未察覺到小D的心亂如麻。終於有一次大叔要送小D回學校時，小D開口了：「我想多和你待一會兒。」

大叔看著小D，搖頭。

小D爆發了：「你到底什麼意思？你為什麼老約我出去？你到底喜不喜歡我？」

大叔不說話。

小D一定要他說。

他說：「我先送你回學校，等會兒發訊息告訴你。」

小D為得到答案只好乖乖地回了學校。

她等大叔發訊息給她，但手機卻紋絲不動，她等啊等，等不及了撥大叔手機，卻已經關機。小D失眠了一整夜，她覺得她快要瘋了。

她打了無數次大叔的手機，直到第三天對方才接。一聽到那個聲音小D立刻就覺得沒氣力了。她這才知道，她已經深深愛上了這個大叔。

也就是從小D主動給大叔打電話的時候起，大叔的態度變了。他開始以工作忙碌為藉口，推掉小D的邀約。

小D苦苦等待了好幾天，兩人才終於見面。一看到他，她覺得自己完全崩潰了。

大叔則一臉不忍地說他是經過了多麼痛苦的心理掙扎才來見她的。因為他有老婆，有孩子，他不能辜負他的家庭，更重要的是，他不能毀了她這個花季少女，因為他無法對她負責！

此時小D早被大叔撩得失去了理智，什麼話都可以衝口而出，比如，保證不影響他的家庭；比如，都是她自己心甘情願……。

然後，小D便如願以償地和大叔在一起了。但是，因為一開始就聲明不會帶給他任何麻煩，完全是她自己心甘情願，小D根本不敢提到大叔的家庭一個字。只要提及一點，大叔就一臉此生永不相見的架勢。

小D為了留住大叔，只好和大叔偷偷交往，這一交往就好幾年。其間，小D屢次意外懷孕，每次大叔知道後都一臉決絕。小D怕失去大叔，只得數次人工流產。而與她同年齡的女孩們差不多都已結婚生子了。

小D很迷茫，不知道還要持續這樣的生活到什麼時候。

第二個故事：

小B來自異地，憑努力考上一所明星大學，畢業後想盡一切辦法留在大城市。但薪水普通，看不到未來，當地房價高得離譜。她覺得，想要真正站穩腳跟，還是得找個當地人。

透過某次飯局，她認識了當地儒商S大叔。S大叔為人溫和，對小B彬彬有禮，還主動替小B擋酒。小B以為有戲，千方百計要和S大叔更進一步交往。S大叔無動於衷。

小B不願放棄機會，心想透過S大叔多認識一些當地人也好。後來才知道，S大叔不僅家庭幸福美滿，高素質的紅顏知己也不少。

小B自慚形穢，想要退出。S大叔卻說：「她們和我交往，不過是看中了我的身家。你不同，我知道你並不是圖我的錢，你是最純淨的女孩。」

小B大為感動，認為S大叔喜歡她。為了保持自己「不圖錢」的形象，她果真對S大叔沒有任何物質的要求。S大叔很滿意，說兩人之間是「真正的愛情」。

結果可想而知，一段時間後，S大叔同樣很認真地對小B說，他本以為和小B可以愛情長久，可惜還是造化弄人。然後他就從小B的生活中消失了。

小B呢？連錢也沒撈到一分，更不要說愛情了。

02

現實生活中不只是女神，很多普通的年輕女孩子也對大叔抱有好感。

為什麼呢？因為大叔們普遍有一定的經濟能力、人脈資源，成熟，穩重，懂女人，溫柔，睿智，會照顧人，懂情趣……相比之下，年輕女孩身邊的同齡男孩實在是太嫩了，太呆了，太無趣了。所以，當面對一個很有魅力的大叔時，單純的年輕女孩子很難不被吸引。

但是，和貌似溫柔實則老奸巨猾的大叔們過招，就好比是站在懸崖邊上捕獲一條看起來美麗的毒蛇，年輕女孩們如果沒有相當的段位，不僅搞不定，而且分鐘都會有生命危險。

以上兩個故事，兩位充滿魅力的大叔，他們在和年輕女孩交往的過程中，都採取了類似的態度。他們從不對女孩主動表示好感，卻對女孩相當照顧、關心，或在女孩的生活中充當某種人生導師、靈魂知己的角色。

他們一邊對女孩表現得相當關照，一邊又對女孩保持著一定的距離。再看周圍的年輕男孩，他們簡直就是為襯托大叔的魅力而存在的。他們和女孩兒單獨約會過幾次就想動手動腳，簡直太低俗了。所以，女孩們覺得大叔彬彬有禮、溫和穩重，是理想男友的典範。

上述兩位大叔憑藉自己幾十年來積累下來吸引女性的手段，不緊不慢地引誘年輕女孩愛上自己。而他們自己，卻從來都是態度曖昧。

是啊，他從來沒有追求過你，他只是和你聊過幾次天，看過幾次電影，吃過幾次飯，連手都沒碰你一下。而且你們在一起，從來沒有聊過什麼過火的話題。他不過在替你解決你遇到的困難，交流一些他處世的經驗，是你自己非要去愛上他。

他撩你了嗎？看起來真沒有。但實際上，他不僅撩了你，用的還是最高段位的撩。他們撩你的手段，就是無為而治：不主動，不拒絕，不表態。看起來他們似乎什麼都沒做，卻又似乎什麼都做了，撩到你心甘情願，飛蛾撲火也在所不惜。

幾十年不是白混的，他們在社會上摸爬滾打這麼久，已經成了精。做生意供應商的錢都是能拖就拖，到情場上讓他們掏錢就會變爽快？

他們是最自私的男人，拒絕任何付出。只不過想要在疲憊的家庭生活和工作之外，尋點可以放鬆的樂子。

你就是他們的樂子。

他們想要的，是你年輕的身體和你年輕的愛情。除非你擁有和他們相當的段位，否則，很難不被他們吃得骨頭都不剩。

世上年輕的女孩永遠有那麼多，他們只需要坐在那裡，用他們無為而治的手段，就可以撩得一個又一個無知少女飛蛾撲火。

這個世界上是有妖怪的。這些吃人不吐骨頭的大叔們，就是披著美好畫皮的妖怪。

但飛蛾撲火的根本原因，不是因為火的存在，而是因為潛藏在飛蛾心底的對光的欲望。飛蛾想要光，所以才會撲向火。

大叔手裡握著太多年輕女孩渴望擁有的東西，所以女孩們才會撲向他。只是，那些東西只不過是他們引你上鉤最好用的工具罷了，你還真以為他們可以大方給你嗎？別天真了。

世界那麼險惡，沒有欲望不會上當。他撩你，只是因為你想要啊！

飛蛾撲火的根本原因，不是因為火的存在，而是因為潛藏在飛蛾心底的對光的欲望。飛蛾想要光，所以才會撲向火。

沒勇氣離，也不甘心忍，是因爲你不夠强大

01

我的朋友張東東，她有個同學叫小卷，有幾次我們在一起吃過飯，逛過街，也算認識。

有次週末，我和張東東正閒逛，小卷突然打電話來要來找我們。約了一個地點見面。不久後，就見她滿臉憔悴，悶悶不樂地趕過來了，妝都沒怎麼化。

坐下後一臉世界末日的表情，癱在沙發上，一動不動哭喪著臉說：「這回完了，本宮離婚離定了。」原來是她和老公剛買了一個電鍋，因為「煮飯到底

該放多少水合適」這種問題引發了一場爭論，大家誰也不服氣。

小卷於是順手拿了老公放在旁邊的手機準備問智慧音箱「小度」，哪知「小度」沒問到，卻被她發現了老公手機裡的貓膩。小卷頓時感覺五雷轟頂，三觀俱碎，和老公大吵特吵起來，直接鬧到了準備離婚的地步。

小卷越說越氣憤，越說越傷心，我和張東東不停安慰她。

小卷走後，張東東說：「沒事，我看她離不了，過兩天就好了。」

我表示不解：「她老公和女同事有貓膩啊！」

張東東說她老公是慣犯，兩人大學畢業後，遇到這樣類似的事情不下四五回了，每次一發現老公在撩女生，小卷就喊著要和他離婚，但喊了半天，常常是等老公撩到下一個了，她都還對他不離不棄。

至於為什麼不離，小卷也有她的理由。

比如，說離婚是在氣頭上，等平靜下來一想，自己和老公從大學就在一起了，風風雨雨都過了這麼多年了，她捨不得。

比如，兩人名下兩套房產都是婚後買的，貸款也是一起還的，如果要離婚，這些經濟糾葛的劃分實在太麻煩。

比如，兩人的孩子還太小，只有四歲，如果離婚了，對小孩的成長有巨大的影響。

比如，兩人離婚後，孩子如果判給她，恐怕經濟方面會有點困難，而如果不判給她，她又實在不放心把這麼小的孩子給她那本就沒什麼責任心的丈夫手裡。

這樣思前想後，再加上周圍眾人的勸解，等小卷的氣慢慢消了，便再也沒有離婚的勁頭了。至於她老公，秉承的理念卻是：「家裡紅旗不倒，外面彩旗飄飄。」所以無論小卷如何威脅，如何哭訴，如何抱怨，他就是賊心不改。

到最後，小卷就在這樣一種局面裡無限循環：發現貓膩，大吵大鬧，離婚威脅，妥協，抱怨哭訴，妥協，抱怨哭訴，妥協，抱怨哭訴……。

長此以往，她的狀態越來越糟糕。雖然看起來她的家庭風平浪靜了，但是，她咽下的這口惡氣，不僅不會消失，還會漸漸累積，越積越厚。到後來，她已經發展成處處看她老公不順眼了。

因為不順眼，所以抱怨也就越來越多；因為抱怨越來越多，所以和老公吵架的次數也越來越多；因為吵架越來越多，她老公撩女生就越來越頻繁；因為越來越頻繁，她心中的怨氣就越重；因為怨氣越重，抱怨也就越多……

完全是惡性循環。

雖說，我們在遇事時，常常都會怒吼：要麼忍耐，要麼離開。然而，嘴上說得乾脆，但在現實中，更多的人卻往往處在第三種狀態：不甘心忍也沒勇氣離。

O2

為什麼這麼多人處在沒勇氣離，也不甘心忍的狀態？

於是只得化忍耐為抱怨，再為自己的沒勇氣離找個藉口叫作：情懷。比如，小卷總說，自己捨不得和老公離婚啊，因為他們大學就在一起了，這麼多年，難道說離就離了？唉，再忍忍吧。

但其實沒有人會心甘情願忍耐。一旦你不是心甘情願，就會有怨氣產生。所以不忍不離的狀態，倘若揭開情懷的美化濾鏡，其實底下裏著的是一團團的怨恨和不甘。

互相怨恨著的人，哪會真的「捨不得」離開，只是不敢或不能離開罷了。如果足夠強大，相信任何人都不希望過著不忍不離的生活。

「要麼忍，要麼離」，為什麼這句話這麼爽感？

因為現實中很多人都無法做到完全不計後果。為什麼做不到不計後果？因為自己不夠強大。

以前在工作中我經常會聽到同事們的抱怨，抱怨的內容各式各樣。

比如，主管完全將下屬當成奴隸，巴不得用最少的薪水榨乾你每一滴血的價值。

比如，主管最喜歡什麼員工？不吃飯卻又能為公司賣命的員工。

比如，這麼熱的天，辦公室連個空調都捨不得開，還讓我們吹落地扇，這麼摳門的公司也是夠了。

但是抱怨歸抱怨，真因為這些原因就酷到炒了老闆的人，我還真是很少見到。常常是，被逼急了，最多上網抱怨；要麼忍，要麼離，完了繼續老老實實地上班去。

為什麼就不能認真地離開呢？

其實，很多時候，並不是他們不想離，而是沒辦法離。技能單一，工作能力普通，公司多你一個不多，少你一個不少，屬於公司裡可有可無的存在，在這種情況下，你拿什麼資本去離職？既然不是不可替代的重要人才，你所做的工作換另一個人也可以做，效果並沒有什麼明顯差別，那你離開對公司有任何影響嗎？基本沒有啊。就算有，也可以忽略不計。

而你自己，倘若技能單一，甚至只能依靠這個公司這個職位吃飯，完全沒有其他選擇餘地，那你離了，對你自己的影響就大了。

所以，才有那麼多人，過著不忍不離的生活。

03

過著不忍不離的生活的人，大多喜歡抱怨。

為什麼呢？

有一個回答是：人的抱怨實際上是在表達他的不滿。但他又懶得想辦法改變這種現狀，他希望輕鬆地抱怨幾句，就可以達到他的目的。也就是說，他希望透過幾句抱怨，讓他人讓環境來改變，然後他就可以來享受。

總而言之，抱怨其實就是一種消極的偷懶方式。比如，小卷抱怨她老公，她是希望老公聽到她的抱怨，自覺改變自身行為。而同事們抱怨公司，是想要公司聽到他們的抱怨，自覺給他們提供更好的福利。但是，小卷的老公有可能因為她幾句抱怨就改變自己嗎？公司有可能因為聽到幾個不重要的員工抱怨，就自覺給這些員工提供更好的福利嗎？

想透過抱怨實行訴求，這根本不可能。

老天不會因為你抱怨了幾句怎麼不下餡餅，就下滿一籮筐餡餅給你吃。

要想改變，不管你是想要改變自己，還是想要改變別人，甚至想要改變環境，你都得從改變你自己開始。

因為這個世界是個有機整體，所以會發生連鎖反應。只有你先著手改變了自己，你才有可能改變他人，甚至環境。要達到隨心所欲「要麼忍，要麼離」的級別，你首先得擁有相當的資本。

倘若小卷自身經濟實力雄厚，容貌身材出眾，她還需要拉個「情懷」的遮羞布來掩飾她無法離開老公的真相嗎？倘若那些同事們都是能力強大的斜槓青年，他們還用得著一邊流汗一邊抱怨「公司不開空調」嗎？出色的斜槓青年可以隨意炒老闆，而能力平庸者就只能低聲下氣做聽話員工。

只有提升自身能力，強大到一定程度，你才能隨心所欲過上「想忍就忍，想離就離」的美好生活。而能力，不是抱怨幾句，就可以給你無條件加持的。

不忍也不離的生活，是最悲哀的生活。因為除了抱怨，他們根本沒辦法改變。所以，你要想離，就得先學會忍。把用在抱怨的時間精力靈感，拿來提升自己各方面的能力。要麼你把某一方面的能力提升到極致，要麼你就把能力多樣化加持。

當你強大到一定程度，你想滾到哪裡，整個世界都會為你敞開大門。而如果你想要繼續你的不忍也不離的死循環，那只需要繼續抱怨下去。

事情就是如此一清二白。

提升自身能力，強大到一定程度，你才能隨心所欲過上「想忍就忍，想離就離」的美好生活。而能力，不是抱怨幾句，就可以給你無條件加持的。

扛得住，世界就是你的

01

小時候，我很自卑。因為我是個女孩子，我生下來後沒人願意帶我。我媽抱著我去找外婆，我外婆說：我要帶小傑。小傑是我大姨的兒子，比我晚出生幾天。我媽又抱著我去找奶奶，我奶奶說：我要帶小剛。

我媽好強了一輩子，但我是個女孩子這點一直讓她覺得丟臉無比。

後來我大一些了，我媽就把我交給小姨。小姨那時十幾歲，天天不上學在社會上混。她就是那個年代的小太妹。

一兩歲的我常常跟在一群不良少年屁股後面跑。

有一次，一個不良少年問我小姨：「她是誰啊？」

我小姨說：「我姐的女兒，甩都甩不掉。」

不良少年就說：「切，直接把她扔了嘛！」

小姨說：「我姐找我要人怎麼辦？」

不良少年看了我一眼，到現在我都還記得他那冷冰冰的眼神：「東門不是就有河？把她扔到河裡去，就說她自己玩水淹死了嘛！」

我之所以印象這麼深刻，想必是那時感受到了極大的恐懼。我以為他們真的會把我扔了，所以拼命跟在他們後面跑。那種生怕會被遺棄，拼命追趕的恐懼，很長一段時間都深深印在我的腦海裡。

我五歲的時候，外婆要帶我去表弟小傑家裡玩。

他家在另一個城，需要坐車。外婆相當高興，在公路邊買了幾斤香蕉。當然，作為吃貨的我對眼前的香蕉怎麼可能視而不見。於是，我很樂觀地想了一個自以為聰明的辦法，我開始裝肚子痛。在我的邏輯裡，我肚子痛了＝去不成表弟小傑家了＝香蕉全歸我了。

但是事情的發展往往會出乎人的預料。外婆果真被我的演技給迷惑住了，我們也的確沒去成小傑的家。只是，作為罪魁禍首的香蕉，我連毛都沒摸到一根。除此之外，我還挨了外婆一頓狠狠的臭罵。

臭罵完畢，外婆就把香蕉給收了起來，我怎麼也找不到它。幾天後表弟小傑在我面前津津有味地吃起那香蕉，而我只能艷羨地狂吞口水。

我的整個少年時期，都感覺自己不被人需要，不被人愛。只是因為我是女孩子。

但是，正因為我是女孩子，正因為我感覺自己不被人寵，不被人愛，正因為我知道自己不能靠刷臉、貧嘴、撒嬌來獲得我想要的東西，我才特別地努力。

那時，我那麼努力地學習，只有一個理由。讓好強了一輩子的我媽，可以在那些親戚們面前自豪地說出一句話：「我女兒又是第一名！」

我要用成績來打他們的臉，哪怕他們仍然不喜歡我。

O2

在網絡社群裡面，有位媽媽，事業相當成功，平時也是風光無限。

直到，有次話題說起了小時候的事。這媽媽突然一改往日精練風格，說，她小時候過得相當淒慘，爺爺不疼，舅舅不愛，平時屬於全家多餘的那一個，但家裡人有情緒要發洩了，她又成了不可或缺的存在。

她父母在外面都屬於特別有修養有禮貌，說話從來輕聲細語，臉上從來笑容滿面的老好人，但一回到家，關上門，他們就完全變了。

比如，他們看不慣她畏畏縮縮的樣子，轉眼看見別人家的孩子笑得陽光燦爛，大方出眾，兩個耳光就直接打過來；比如，他們被外人諷刺了，嘲笑了，回家二話不說，抓住她就一頓暴打。

過年，她從來得不到壓歲錢。有次她哭著向她舅舅要一塊錢的壓歲錢，舅舅像一座泰山一樣巋然不動，轉眼卻當著她的面把壓歲錢給了她弟弟。

她心都碎了，回家後父母還嫌她要壓歲錢，丟了他們的臉，又是一頓打。

她回憶她小時候的生活，說那時候看到的外面的世界，顏色都是灰色的。

我問她現在還在糾結嗎？

她說，其實仔細想想，要不是小時候他們對我這麼差，讓我從小就感覺自己不屬於那個家，那個地方，我也不會瘋了一般地努力，從小下定決心要逃離老家，最終憑藉自己的本事，從那個小鄉鎮跑出來，走到這麼廣闊的天地裡來。

她說，如果他們從小對我寵愛有加，我肯定不會有孤注一擲的決心，爆發出這麼強大的能量。

很多時候，我們如此努力，只是因為失望。因為失望，我們不得不努力地尋找；因為失望，我們不得不逼迫自己，向前向前，走走走，走到更高更遠的地方，看見更為廣闊的世界，遇見截然不同的人。

因為你不愛我，不代表整個世界就沒有人愛我；因為你不愛我，所以我還可以自己去尋找，尋找可以愛我的人，尋找真正愛我的人；因為你不愛我，所以我必須要走出去，離開你們，找到我真正的價值。

03

大概每個人都希望自己是被人喜歡的，被人愛的。

年幼的時候，我們渴望得到大人的認可。一句簡簡單單表揚的話，就可以讓我們歡欣得意許久。

等到十幾歲，我們又渴望得到老師、同學的認可。一個欣賞的眼神，一句親切的話語，就可以讓我們心生無數能量，感覺自己真的好厲害。

二十幾歲，我們又希望得到異性的青睞。似乎只要有人傾慕，便肯定了我們存在的價值。

只是，希望是美好的，卻常常被現實打了臉。

很可能年幼的你，不僅沒有得到大人的稱讚和喜愛，一腔的熱情還被人一再忽視踐踏。

很可能十幾歲的你做盡了一切，甚至放棄自尊，想要贏得同學的喜愛，卻被他們嘲弄、孤立與不屑。

很可能二十幾歲的你，喜歡上了一個人，懷著一腔的熱忱向對方表白，付出了一切，最終卻換來了對方無情的算計、捉弄、鄙視與欺騙。

你精心準備，無限珍視，熱氣騰騰的愛，就這樣被深愛的人像垃圾一樣棄如敝屣！

你要知道，並不是所有的人都是在愛中長大的。在有些人的成長過程中，遇到的冷漠、鄙夷、不屑、嘲弄、孤立、算計比愛多更多了。

然而，又怎樣呢？

強韌的神經，是經由無數次的打擊才能歷練而成。

正是因為你們的不愛，才能逼得我們背水一戰，去努力尋求所愛，不至於被困在一個小小的環境裡，享受著看似風平浪靜，實則岌岌可危的「安逸」生活。從而得以看見更廣大的世界，接觸到更多和你們完全不一樣的人。

正是因為你們的不愛，才會讓我們永遠不會因為失過一次戀，挨過一次批，受過一次挫折，就覺得天塌地陷，世界末日。

正是因為你們的不愛，才會讓我們知道，要想得到，只能夠默默努力，靠自己的力量和才智去爭取。

正是因為你們的不愛，才會讓我們如此拼命。因為只有拼命了，我們才有可能站在那些不愛自己的人面前，用厚厚一疊的成績狠狠打他們的臉。

所以，假如有人不喜歡你，不愛你，不必苦惱，不必傷心。玉石都需要打磨才能綻放光彩，而打磨是肉的剝離，血的飛濺。有人不喜歡你，對你來說，不僅是一種疼痛，更是一種財富，一次難得的成長的機會。

所以，請珍惜每一次的傷害，因為傷害常常隱藏著重生的契機。

很多時候，我們如此努力，只是因為失望。因為失望，我們不得不努力地尋找；因為失望，我們不得不逼迫自己，向前向前，走走走，走到更高更遠的地方，看見更為廣闊的世界，遇見截然不同的人。

克服
—害怕衝突膽小妖—

謝謝你們不喜歡我，不愛我，
我才能努力尋找所愛，
看見更寬廣的世界，獲得重生的機會。

篇伍

時機是自己創造的

好時機・等不到魔王

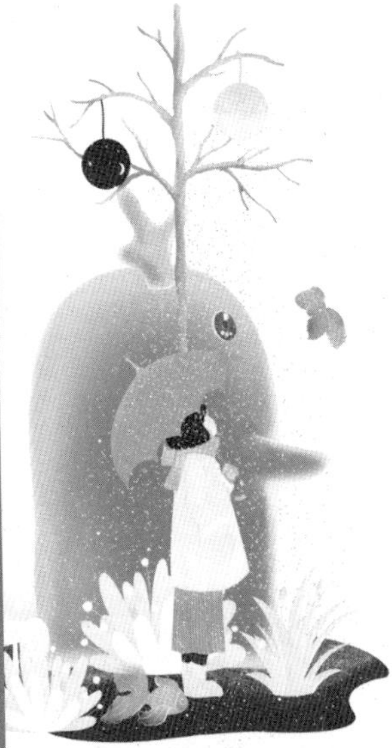

做任何事都在等待天時、地利、人和的最好時機，結果到最後都無法付出行動，看著別人成功。

有一種「踏實」，叫眼光短淺

01

由於我大學裡學的專業性不強，俗稱萬金油專業，所以畢業的時候，很多同學都在為以後該從事哪方面的工作發愁，同學G就是其中一個。

有一次她拿著簡歷，一口氣投了十幾家公司，首輪面試過後，便有差不多五個公司在同一時間打電話來，告訴她有意錄用，並邀請她進入第二輪面試。

這五份工作分別是：文秘、銷售、保險、物業、倉儲管理。

同學G一下子陷入選擇恐懼症中，這些工作她都談不上喜歡，但也不討厭，試用期薪水也不相上下，同學G思前想後，無法選擇。

於是，為了從中挑選出最優的「不會後悔」選項，她問了很多畢業的學長們，也上網查了相當多的資料，包括各個行業的發展前景。

她查得越多，就想得越多，各種情況，各種風險，各種未來的瓶頸限制等都一股腦地湧來，結果顯而易見，她更加無法選擇了。

她越是無法選擇，越是會東想西想，完全是惡性循環。

她覺得她都快把從事這幾種行業的幾十年後的情節都想光了，各種凶險詭譎，各種鬥智鬥勇，各種波瀾壯闊，可以寫上幾本小說了。

因為老是定不下心來選擇其中一兩個職位進行專攻，她只能平分精力，遍地開花，準備五個不同行業職位的二輪面試。

她準備文秘資料的時候，往往想著銷售該怎麼做，準備銷售資料的時候，又想著保險行業該怎麼做……。

想法太多，必然就過慮。花了大量的時間和精力不算，要應聘的五個職位沒有一個是準備得特別充分的。結果可想而知，二輪面試，同學G在所有應聘職位上的表現都糟透了。

她花了大量的精力，卻沒有達到想要的效果。

《論語》裡面有一句話叫作「三思而後行」。

我們以前學古文的時候，老師總是講，古人說的「三」就是「多」的意思，所以這裡的「三思」表示的就是「多思」。

但古人也是人，有時也會講點冷笑話。這裡的「三」意思真的就只是三。做一件事情，你最多只需要想三下。如果想太多，反而會得不償失。

02

曾看過一個故事。有個女孩在每年春天的上班路上，都看到一種藍色的小花。她覺得這種小花很漂亮，她很喜歡，於是，她就總想著把小花從地裡挖一些帶回去，種在自家的花園裡。

但是，每天下班，當她開著車經過小花的時候，她又想，挖這些花太麻煩了吧？會不會把自己的衣服弄髒啊？挖回去種哪裡啊？野花適合家養嗎？要是把它們養死了豈不是太可惜了？那樣我會覺得很難過的。男友會不會罵我多事呢？還有如果花死了那些花盆又怎麼辦？會不會很礙事？

她想了無數個可能性，頭腦裡湧現了無數個念頭，最後她想，反正這些花每天都在這裡，又不會跑掉，等明天想好了再來挖也不遲。

等到第二天，第三天，她依然沒有把花挖走。

為了下定決心，她還在車的後車廂準備了一把可折疊的鏟子。鏟子一放就是好多天，根本就沒有拿出來用。直到有一天下班回家，她突然發現公路管理部門已經把溝渠裡的花花草草除得乾乾淨淨，那些藍色小花也全都不見了。她這才追悔莫及：「早知道第一次看到時就把它們給挖回去了。」

想得太多卻始終沒有付諸行動，所以這個女孩永遠地失去了擁有那些藍色小花的資格。

03

想得過多，有時候反而是一件壞事。因為人的思想也是要消耗能量的，你把能量全部用來想東想西了，那你就沒有能量去做東做西了。

相信我們在買東西時都有這樣的體會：如果只讓你看一兩個品牌，一兩種樣式，你會很容易選出自己偏愛的那個，而且非常果斷。但是如果同時在你眼前呈現出上百個品牌、上百種樣式，你會完全不知道該選哪個了。你會覺得每種都各有千秋，你會不捨得放棄，你會忘記你原來的標準，你會不自覺看得眼花撩亂，完全不知如何下手。

這種情況，也就是所謂的選花了眼。

為什麼會出現這樣的情況呢？還是能量的問題。備選項太多，每一種都需要你分配出一定的注意力和思考力，去考慮和比較它們各自的優劣勢。因為數量龐大，分配在每一個備選項上的能量累加起來，會消耗你大量的精力。消耗的精力太多，導致精力不足，自然無法判斷，於是就覺得無力挑選了。

所以到最後，你看得越多，比較和思考得越多，反而什麼也不想買了。

想得過多，會減小你的執行力度。所以人做某一件事，越是瞻前顧後，企圖把各種可能性、各種後果都想到以避免風險，反而越是踏不出那關鍵的第一步，成為做事情只知空想，而沒有執行力的空想家。

以前季文子遇事就是想很多次才去行動，孔子聽說後，說：「想兩次就可以了。」

孔子畢竟還是博學多聞的。

04

有一句話叫：橋到船頭自然直。

做事情，盡量少想，立馬行動，只一心一意專注在眼前的事情本身，想著怎樣把這件事完成，盡可能達到某種要求或標準，反而更有效率。

作為一名雙子座女性，我喜歡做、想要做的事情有很多。

我喜歡寫文章，喜歡畫畫，喜歡唱歌，喜歡玩樂器，喜歡研究心理，還喜歡玩電腦、編寫程式什麼的……

長久以來，我一直處在這樣的循環之中：今天想寫文章，明天想去畫畫，後天想學吉他，再後天想玩陶藝，再後天又想去研究程式……我寫著文章，又想著要去畫畫，畫著畫，又會想著要去寫程式……

結果，就和我那個找工作的同學G一樣，花費了大量的精力，卻一件事情也沒做好。

我覺得這樣不明智，於是，我採用了另外的行動模式。

比如，我的計劃是在這三年只寫文章，一心一意地寫文章，其他的愛好暫時放一邊，不去想，也不去做。將精力、時間、思想和執行力完全集中在一件事情上。

以前看真人秀節目「跟著貝爾去冒險」，在叢林中，有個項目是靠雙臂的力量從一根繩子的一頭過到另一頭，繩子底下就是黑洞洞的懸崖，雖然參加真人秀的各位明星們身上套著安全繩，但在途中還是挺挑戰心理素質的，而且也需要有相當的體力。

我印象比較深的是張鈞甯，她是其中過得最平穩最平靜的。後來她陳述，她採取的戰略是把全部的注意力，只集中在她眼前不超過十釐米的繩子上，就盯著前方不遠的一個焦點慢慢地挪動。

她不去想還有多遠，也不去想底下就是懸崖。挪動十公分便是成功，再挪動十公分又是一次成功。

放空頭腦，簡單思想，眼光最「短淺」的她反而是最快最穩到達的那個。而其他幾個人，有人一眼便看到終點，覺得太過遙遠，對距離望而生畏，中途不停地問還有多遠，最終崩潰放棄。有人一眼看到失敗的危險，對底下懸崖惴惴不安，最終真的失敗。

在做事的時候，笨一點，才比較聰明。

如果你過於擔憂未來會面臨的諸多挑戰，你會覺得，目標太遠，危險又實在太多，最終，你的想像力會侵蝕你的執行力，讓你根本就無法邁出第一步。

沒有第一步，也就不會有最後一步。

只盯住自己眼前三公尺，傻瓜一樣什麼也不多想，哼哧哼哧像個笨蛋一樣做事，或許這才是聰明的吧？

所有你可能想到的後果，全部都是你的懸崖。你能無視它們，只盯著你前方三公尺，麻木地前進嗎？

人啊，眼光適當短淺，未嘗不是一種踏實的生活態度。

人做某一件事，越是瞻前顧後，企圖把各種可能性、各種後果都想到以避免風險，反而越是踏不出那關鍵的第一步。

這世上其實沒有所謂的「最好時機」

01

老陳有個朋友，畢業後在體制內工作。

五年前我們和他吃飯，他不停抒發對體制的厭惡之情。他覺得體制死板，沒有活力，按部就班，完全與他跳脫、愛冒險的個性不符，他決定早點脫離。

他慷慨陳詞，充滿了感染力，在我和老陳認為他辭職信都已經寫好了的時候，他忽然話鋒一轉問我們：「你們覺得我現在離開體制合適嗎？」

我們說：「你不是都已經決定了嗎？」

他嘆了一口氣說：「我是這樣想的，離開體制後，我想創業，可是創業需要資源，起碼我得先累積幾年的資源。況且現在的經濟形勢走低並不是好的時機。我覺得還是再等一等，不然，我怕是死路一條。」

我和老陳都覺得他說的有道理。

兩年前，我們又一次和他吃飯。

我滿以為經過這兩年的準備，他早就脫離體制了，說不定創業都創得風生水起了，沒想到他居然還在原公司。

老陳問他：「事情準備得怎樣了？」

他嘆了一口氣，反問老陳：「你覺得現在的環境適合創業嗎？我創業成功的可能有多大？」

老陳說：「看來是不大適合，不過你準備了這些年，應該胸有成竹才對。」

他搖搖頭：「創業哪是那麼簡單的事？一不小心就失敗了，所以我必須要等到天時地利人和的那一刻，看準時機才下水。」

數天前，老陳無意中說起他，我才知道，這個人到現在都還沒脫離體制，他的創業大計更無從談起了。

也不知他的天時地利人和的時機，是在五年後，還是十年後？只怕那時有天時了，有地利了，人卻不和了。因為時光被蹉跎，人都老了啊！

02

我覺得「天時地利人和」之說害人不淺。因為很多人只要一做事，就必然要提到這個概念。他們常說：「天不時，地不利，人不和我要怎麼做？」於是，他們非得等到三個條件全部滿足才著手做事，以為這樣就不會失敗。但要等到猴年馬月這三個條件才能全部滿足啊？

實際上，「天時地利人和」雖然說的是最好的一個狀態，但這個狀態向來是可遇不可求的。

你要遇到一個三個狀態全都滿足的情況，估計和中彩券的機率也差不多了。哪有那麼多天時、地利、人和？滿足一個條件都已經是萬幸了，何況要三個條件全部滿足。你就是等一輩子，恐怕也等不到一次天時、地利、人和的情況。

當天不時、地不利、人不和的時候，我們就該躺在床上無所事事了嗎？

其實，所謂的天時、地利、人和只不過是你想要拖延的藉口而已。你害怕失敗，對自己信心不足，決心不夠堅定，所以才會如此依賴所謂的天、地、人。

你以為等到天時、地利、人和的時候，你就可以像開外掛一樣，不費吹灰之力便取得成功？你哪是在等待時機，你明明是在等待成功從天上掉下來。你是不僅害怕失敗，還想不勞而獲。

數年前我在大學教書，但我沒什麼耐心，對教學也不感興趣。雖然教過的學生那麼多，我卻無法從中獲取成就感。我不具備傳道、授業、解惑的美德，那些太過書本的知識也讓我沒有研究的興趣。而且大學太清閒，我覺得我是用青春過著老年人的生活，快廢掉了。所以我決定離開那所大學。

我做出這個決定之後，眾人都驚呆了。

我媽給我打電話，各種威脅企圖讓我放棄我的決定，她的理由是：大學教師有社會地位，說出去非常有面子，教學任務也不重，環境也沒有其他工作複雜，她實在想不通我為什麼要放棄一個這麼好的職業。

我爸也認為我連這樣一個工作都放棄，真是太不知好歹了。他甚至放話說我要是辭掉了這個工作，他就和我斷絕父女關係。

同事們也都勸我：「大家還不是都這樣混啊混啊？有個工作混著，雖薪水不高，總比沒有的好。」

朋友也說：「沒一個單位是輕鬆的，你工作夠清閒的了，你看看我們，累得像狗一樣啊。」

他們以為我想要的不過是錢多，事少，離家近，可我只是知道自己不喜歡也不適合。

我的目標非常明確。我離開，不是因為那個工作不好，不是因為我怕辛苦，而只是那個工作與我格格不入，讓我無法發揮出我的能力，我的特長，也不屬於我的喜好。

當時只有老陳支持我離開，是老陳平息了我爸我媽的怒氣。

我有一個工作觀。我認為工作的第一要素是自己的喜好，第二要素是能否發揮自己的優勢和特長。我就是想要讓自己喜歡的事成為我的職業，並在職業中發揮自身的特長。什麼錢多、事少、離家近，完全不是我考慮的因素。為了我喜歡的事，我可以錢少，事多，離家遠。

當時我下了決定，並立刻就離開，看起來似乎太衝動了，但實際上，我在大學裡的五年，已經足夠讓我看清我想要的是什麼。一旦看清，我就一分鐘都不願再耽擱。

什麼是天時、地利、人和？你決心夠堅定的那一刻，就是天時、地利、人和之時。

即使天真的不時，地真的不利，人真的不和，你也可以為了你想要的東西，盡一切可能地創造出天時、地利、與人和來！

03

我讀大學的時候還遇到過這樣一個人。他很喜歡我的一個室友，但大學都畢業了，室友還不知道他喜歡她。

有一次他向我傾訴對室友的愛慕，說他是多麼多麼痛苦，多麼多麼想要她成為他的女朋友。當時我室友正好是空窗期，我就建議他大膽地去追她看看。他嘆了一口氣說：「現在追不好吧？她雖然空窗，但是前一段感情剛剛結束，肯定還沒走出來，我再等等，等到合適一點的時機再向她表白。」

他的確足夠有耐心，一直等到我室友有新男友了，他都還沒表白。我去給他通風報信，他又嘆一口氣：「既然她有男友了，我這時去表白算什麼啊？起碼也得等她和男友分手啊。」

室友果真與男友分手了，他還是嘆一口氣：「她現在正傷心著呢，我這時去表白太不合時宜了，等等吧。」

這一等又等到室友交上新男友。

他就在無休止的循環中，等待「最好的時機」。但「最好的時機」就是沒有來，大家就都畢業了，各自奔赴不同的城市，他也永遠失去了表白的機會。

這世上其實沒有所謂的「最好時機」。最好時機不屬於時間的概念，它根本無法在時間刻度上被標示出來，它不在未來，不在過去，也不在現在，它只在於你的內心。

當你具有足夠強烈的動機，想要去做成並做好某事的時候，那就是你做某事最好的時機。很多時候，我們不是準備好了才開始，而是開始了才準備。

常常有人會問你準備好了嗎？但真相是你永遠也無法準備好。不論你做什麼事，不論你是創業、表白，還是做出選擇，你根本無法把方方面面全部都準備好。

或許，準備好了就是一個最大的謊言。

實話應該是你開始了嗎？你的內心會告訴你什麼時候你該開始了。聽從你內心的指示，而不用去考慮什麼天時、地利、人和。一旦你投身到行動中，行動就會給你指引，它會告訴你，哪些地方你還需要強化，你的優勢和劣勢分別是什麼，你最適合怎麼做，還有哪些條件你需要去創造。

就好比學游泳，待在岸上的你，無論教練怎麼說，怎麼講解，你都不可能學會。學游泳的最好方式，就是跳進水裡。只有身處水中，你才能知道怎麼游才合適，你會找到最適合你的一套游泳方法，並發現自己游泳時，有哪些優勢和缺陷，然後在行動中一一改進。

學游泳的最好時機，便是你下水的那一刻。

千萬不要去等最合適的時機才開始，因為你可能一輩子都等不到一次。這世上根本沒有合適的開始，只要開始了，就是最合適的時機。

當你具有足夠強烈的動機，想要去做成並做好某事的時候，那就是你做某事最好的時機。很多時候，我們不是準備好了才開始，而是開始了才準備。

在愛情裡，我們都是時間和機會的窮人

01

小文是我一個朋友，今年三十二歲了。

那天她把我約出來，和往常一樣，我們逛了街，累了後就進星巴克坐一下。我察覺到她似乎有點不對勁。本來是話癆一枚，今天她卻安靜得太過分了。我看見她兩隻手攪著面前的咖啡，一會兒，嘆口長氣。她心情不好，已經表現得這麼明顯了，我再不問問就太不夠朋友了。

於是我問她：「怎麼了？公司裡遭遇了煩心事，還是你媽又催你去相親了？」她不答，只嘆口氣，又攪攪咖啡。

在我的一再逼問下，她才說明了緣由。她說她好像有點喜歡上她部門的前輩S了。這個叫S的前輩，比她早幾年入公司，現在是美術總監，很有才氣。更重要的是，他長得不錯，身材不胖不瘦，平時喜歡健身。她私下調查過S的業餘愛好，知道了他喜歡看書、看電影，文藝青年一枚。她很高興，因為這也是她的愛好。

但是，雖說是她的前輩，年齡卻比她要小。她曾偷偷到人事部們看過他的資料，發現他今年才剛滿二十八歲。這個訊息讓她沮喪無比，於是，經過深思熟慮，她決定放棄。

在星巴克裡，她握著面前那杯咖啡，無比沈痛地說：「我知道我和他必定是沒有未來的，所以，還不如不要開始。沒有開始，就沒有結束。」

她用雙手捂住臉，許久之後才又說：「做這個決定的一瞬間，我感覺自己的心都老了十歲。」

「那就不要放棄啊。不過是年齡比你小幾歲，在現在這個年代，這還很重要嗎？你們明明興趣愛好都一樣。而且，你都還沒告訴過他，他都還不知道，怎麼就你單方面決定結束了呢？」我說。

我勸小文，鼓勵她起碼要先告訴S，由他們兩個來一起決定他們的未來。我知道小文一向心高氣傲，本身也很有能力，難得動一次真感情，我不想她就這麼放棄。

小文卻只是一再搖頭，堅持所謂的「沒有開始就沒有結束」的感情觀。但我知道，她實際上只是害怕被S拒絕罷了。

幾個月後，那位S前輩和小文公司裡另一個女孩談起了戀愛，讓眾人都大跌眼鏡的是，那個女孩離過婚，而且年齡比小文都還要大一歲！但S前輩根本不在乎，對那女孩好得很。

小文得知消息，眼淚汪汪地跑來抱著我大哭一場。也就是在這時，她才意識到S在自己心目中的份量之重，她對S的愛意之深，可是，一切都已經遲了。

02

大學時，同寢室的女孩們喜歡和男生寢室的幾個男孩一起玩。大家熱熱鬧鬧地一起去看電影，一起遊山玩水，一起出去吃飯。也就是在這些玩耍的過程中，沒有說出口的曖昧，開始在男生和女生之間流動。

當然，大家都是好朋友，但在一起吃飯的時候，在一起玩耍的時候，很容易就能看出來，A男生似乎喜歡B女生，B女生又似乎喜歡的是C男生，而C男生似乎又對D女生更感興趣……於是，小小的喜悅幸福，或傷心嫉妒等微妙的情感伴隨猜測而生。

那時候，每個人的心中都是輾轉難安的。

還記得那時，A男生經常跑到我面前問：B今天怎麼沒來上課？B除了喜歡聽音樂還喜歡幹什麼？B有沒有對你講過她以前的故事？

我就回他：「你那麼喜歡B，告訴她啊！我哪知道B那麼多的事？」

A男生一臉痛苦：我怕告訴她，她不喜歡我，我們連朋友都做不成。

而B女生呢？卻常常跑到我面前問C男生的事。因為我和C男生是從小就認識的朋友。

我被問煩了就回她：「你那麼喜歡C，那告訴他啊！如果你不想親自說，我可以去幫你說啊！」

B女生此時的表情和A男生一模一樣，連話都差不多：「千萬不要！我怕告訴他，他不喜歡我，我們連朋友都做不成。」

我感覺真的好累。

再說當時我自己也同樣被感情困擾。當時我喜歡那群男生中的一個，但是，我同樣和A男、B女一樣，在喜歡的人面前就慫得無論如何開不了口啊。

如果當時有人來對我說，你那麼喜歡他，那告訴他啊。我恐怕也會說出和A男B女同樣的話來。

於是，每當我們一群人出去玩的時候，在飯桌上，在草地間，在電影院，其間的目光傳遞訊息之豐富，幾乎無法用語言形容。

每個人的目光都不想離開喜歡的人，但是又害怕被喜歡的人猜出心意，於是那目光逃離，交融纏綿，痴痴凝望，沈痛悲傷，憂心忡忡，熱度無限等，可以直接在桌面上演出N多部虐心言情劇來。

讓我來告訴你，這N部虐心言情劇的結局是什麼。

我喜歡的那個男生，最後和另一科系的女生成了一對。是那女生看上他的，然後大肆追求，終於成功地把他追到手。我為此躲在沒有人看見的地方，哭了足足一個星期，難受了足足一個學期。

但是怎樣呢？你哭你的，他幾乎都不知道你喜歡過他。

C男生和同班的另一個女生好了。那女生不屬於我們這一群，平時和C男也幾乎沒有什麼交集。讓她和C男走到一起的契機是一次運動會。她不小心被C男絆了一跤，兩人自此才熟稔起來。

所以，B女失戀了。B女失戀後大受刺激，在學校外面的小店裡喝酒喝到吐，一邊吐一邊哭。最後是我們把她抬回來的。

但又怎樣呢？你喝你的，他幾乎都不知道你喜歡過他。

B女後來隨便找了一個人來做她男友，於是A男又失戀了。

A男失戀後，便心灰意冷，脫離了我們這群。B女不想看到C男和他女友，也脫離了。我也沒興趣天天看喜歡的男生和女朋友卿卿我我，於是也和他們玩得少了。

所以，我們那群人就這樣散了。

03

有一個很重要的東西，叫作「時間」。我們常常說，時光易逝。還有一個很重要的東西，叫作「機會」。我們常常說，機會難得。我們都知道它們很重要，但實際的情況卻常常是：我們虛度著無數的光陰，浪費著手邊一個又一個的機會。

在愛情裡，我們似乎都成了土豪，不然，為何虛度和浪費表現得如此明顯。我們總是對身邊的朋友一遍遍地言說，自己有多喜歡那個人，為了那個人我們是如此痛苦，甚至我們為那個人悄悄做了很多很多的事情，而對方卻從來不知道。

你有勇氣為那人獻出一切，卻沒有勇氣去告訴他？你有勇氣為他而痛苦，卻沒有勇氣去告訴他？你有勇氣為他做那麼多的事情，卻沒有勇氣去告訴他？你有勇氣去認真地愛一個人，卻沒有勇氣去告訴他？

為什麼有那麼多的人在愛情裡成了膽小鬼？你真以為這樣很萌很戲劇嗎？你真以為這樣可以顯得你更痴情，從而可以得到更多人的喜愛嗎？

那麼，你喜歡的那個人被人搶走了，你顯得很萌有什麼用？你得到更多人的喜愛又有什麼用？你不告訴他一天，他被人搶走的危險就上升十個百分點，你知道嗎？

如果你怕被拒絕，如果你缺乏勇氣，那就想想，眼睜睜看著他被人搶走而無能為力時的情景。即使被拒絕，也好過那時的無能為力的痛苦啊！

如果你明明知道他有可能會被別人搶走，還是選擇不告訴他，那你就不是愛著他了，你更愛的是你自己。

我曾經就有這樣一個信仰：打死我也不會主動對人告白！因為我怕拒絕。

因為我怕自尊受到傷害。我堅持了這個信仰，效果很明顯，我喜歡的人一次次與我擦肩而過。

這個信仰很有好處嗎？它是保護了我的驕傲，但錯失的是什麼？遺憾，一輩子的遺憾。

驕傲不是體現在這些地方啊，並不是你向對方表達了愛，你就低人一等。你只是在表達，而不是在祈求。你只是在希望愛，而不是在向他乞討愛。最壞的結果，也就是被拒絕而已，被拒絕好過錯失。

只是可惜，時間過去了就不會回來，機會失去了，就不會再有。當你想要重來的時候，才發現，一切都不會重來了。

你覺得自己在愛情裡可以當揮灑時間和機會的土豪嗎？在愛情裡，我們都是窮人啊，手裡握著的時間和機會都少得可憐。就是這樣，你還要浪費嗎？

假如，你已經浪費過，那你還要浪費第二次嗎？假如你已經浪費了兩次，那你還要浪費第三次嗎？

請對喜歡的人告白。你連告訴他都不敢，你還說你愛他？

你覺得自己在愛情裡可以當揮灑時間和機會的土豪嗎？在愛情裡，我們都是窮人啊，手裡握著的時間和機會都少得可憐。就是這樣，你還要浪費嗎？

自己遠比想像中的強大

01

在大學裡教書的時候，我經常教的是一些電腦方面的課程，如「C# 程式設計」、「JSP 程式設計」、「ASP 後台程式設計」等。這些程式語言課都需要進行上機操作。一到上機課我都會很頭痛，因為電腦不是人，電腦只認死理，編寫的程式就算不小心輸錯了一個符號，或多了一個符號，或少了一個符號，或輸入方式不對，都會導致程式執行錯誤乃至崩潰，更不要說程式本身就編寫錯誤的情況了。

每次上機課，就會有無數的學生用求助的目光看著我。有過編寫程式經驗的人會知道，導致一個程式執行錯誤的原因總是千奇百怪、各不相同，甚至匪夷所思的。程式糾錯是一門很高深的學問，需要動用到一個人的細節觀察能力、邏輯推理能力、判斷能力，甚至是腦洞能力。因此，每上完一節上機課，我都覺得自己在「名偵探柯南」這條路上又前進了不少。

後來我做了一個錯誤對應表，足足有二十頁，詳細列舉出了出現頻率比較高的錯誤形式，會對應哪些可能的原因，以及解決的方法，然後發給他們人手一份。但很快我就發現自己是天真的，這份資料幾乎沒起到任何作用，因為遇到問題，大部分人的第一反應都不是自己去查資料，去想辦法解決，而是問「老師，我該怎麼辦？」

如果得不到「老師」的幫助，很多人就只能守著那份錯誤一籌莫展，徬徨無措，完全沒有自我解救的能力，甚至連「企圖」自我解救的動機都沒有。

02

在「自救」這條道路上，你有多依賴他人？失戀了，你渴望有人來告訴你該怎麼辦，渴望有人像救世主一樣把你從痛苦中解脫出來；失敗了，你埋怨沒有人主動來幫你，沒人主動來給你機會，沒人引導你，教導你；犯錯了，走了彎路，你則認為，這都是因為沒有聽取他人的經驗，或者沒人及時給你忠告的緣故。

很多時候，我們之所以這麼痛苦，或許並不僅僅是事情本身造成的，而是意識到「我這麼痛苦，這麼傷心，狀態這麼糟糕卻沒有人來幫我」，這會讓我們的痛苦成倍。就像一個溺水的人，讓他感覺最難受的事恐怕不是溺水本身，而是為什麼我都溺水了，為什麼我這麼難受，卻沒有人肯來救我？沒有人肯來拉我一把？這種自憐式的委屈，才是真正讓我們「心甘情願」被溺死的元兇。

獨自陷在困境之中的我們，常常會有這樣的心理：一是為什麼沒人來救我？既然沒人願意救我，那我沒有價值。於是，放棄努力，自暴自棄。二是為什麼沒人來救我？我偏要看看，到底會不會有人來救我！於是，也放棄努力。

冷靜來看，這兩種心理對我們有利嗎？當我們陷入困境，為什麼一定要企盼他人的力量？一個人溺水的時候，要想活命，最有效的做法，難道不應該是先想方設法用自己的力量穩住身體不要嗆水，然後再呼救嗎？同樣，一個人犯錯或者陷入困境的時候，所做的第一件事難道不應該是自己想辦法糾錯、脫離困境嗎？

為什麼那麼多的人，在陷入困境中第一想到的，就是誰能來救我？在迷失方向時第一想到的，就是誰能給我指引方向？在失敗頹廢時第一想到的，就是誰能來拉我一把？

其實，能夠救你的人，只有你自己。在自救這件事上，沒有人的力量會比你自己更強大。

我見過很多人「失戀後」的生活。有人化悲憤為食量，有人自我放縱，有人頹廢，有人迷惘，有人玩世不恭，有人淒淒慘慘淒淒……但也有人「反其道而行」。比如，曾有一個同學，她失戀後變成了像變態一樣的「學習狂」，她說忙碌起來就沒時間去傷心了。她學習狀態最好的時候，就是她失戀的時候。每失一次戀，她各方面的能力都要上一個大台階。

所以，什麼困境都是藉口，只要你主動地去自救，一切「困境」就都是良機。而只要你不想救自己，一點點小挫折都是世界末日。

03

你可以自救自己於任何困境，也可以教會自己任何事。能力是怎樣發展的？是從你自己那裡學來的。很多人會認為要想學一門知識，學一種技術，學一項能力，都得靠其他「神人」教給自己才行。如果沒人教，就學不會，或者，會走很多彎路，浪費很多時間。

真是這樣嗎？

比如，有段時間我想學游泳。朋友於是給我建議，你可以去請個專業教練，幾天就學會了，而且姿勢也標準。我去觀察了專業教練的訓練方法，的確教得很細緻和嚴格，不容許有絲毫的誤差。手應該放在什麼位置，腳應該怎麼運動，訓練出的隊員游起來的動作，就像拿著尺子打造出來的一樣。也許是那種很標準的機械化效果，讓我望而生畏了，我最終還是沒有請專業教練。

我覺得我只是想學游泳，而不是某種標準化動作。於是我請了會游泳的朋友來教我，但很快，我就發現自己產生了依賴心。在水裡控制不了自己身體而害怕的時候，我第一反應不是想「自己該怎麼辦」，而是大叫朋友的名字。

我覺得這樣下去不行，於是，我開始自己學。這時，所有的依賴都成了浮雲，我遇到情況必須自己想辦法解決，我能夠靠的也只有自己。我需要自己一步步克服對水的恐懼，學會讓水將自己淹沒，學會在水下體會水的浮力和我身體的相互作用，學會掌控自己的節奏，熟悉水並和水融為一體。

掌握捷徑或許可以讓你很快地學會一件事，但是彎路讓你學會的卻是N件事！現在有很多的培訓班、體驗班等，一般都配有專業的教練，如果你想要很快地掌握某項技能，那麼，參加這些培訓班不失為一個好辦法。但是，如果你只是想從某項學習中獲取樂趣，而不是計較效率，或者你想要知道更多，那麼，你完全可以教會你自己任何事。當你擺脫對他人的「依賴」，學會自救與自我提高時，你才會成為你生命中的一個主動掌控者，而不是可憐的被動依賴者。

你可以救自己出困境，也可以賜予自己任何想要的能力。你才是你世界裡的智者、神人甚至英雄！在這個世界裡，只有你能讓自己更強大！

什麼困境都是藉口，只要你主動地去自救，一切「困境」就都是良機。而只要你不想救自己，一點點的小挫折都會是世界末日。

打敗

—好時機等不到魔王—

思考太多會降低執行力，

所以遇到事情想兩次就可以了。

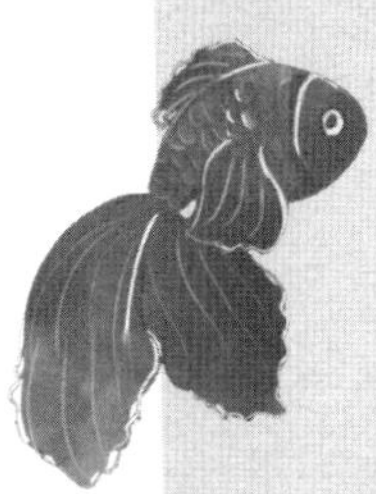

篇陸

有點自私又如何

善良面具・牛獸人

經常開啟的是笑眯眯模式，對別人的要求都有求必應，不求回報的幫助別人。

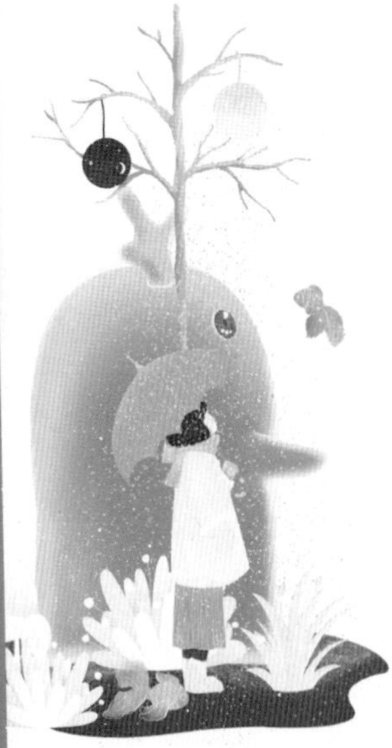

交友大不易，妖怪真的很多

01

最近，我有個大學女同學很煩惱。

事情是這樣的：她們公司新來了一個女員工，剛好被分配在她所在的部門。這個女員工是個萌萌噠的女孩，大眼睛撲閃撲閃像洋娃娃，也很會討人喜歡，經常拉著我同學讚個不停，「X姐你好有氣質！」、「X姐你好幹練！」、「X姐我好崇拜你！」……。

我同學樂得嘴都合不攏，對萌萌噠好感大增，兩人就此成了好朋友，私下經常一起去逛街。

有一天，萌萌噠突然帶著她一車的家當來找我同學，說她最近和房東鬧翻了。因為房東臨時要漲房租，而萌萌噠覺得不划算，一氣之下也不租了，問我同學可否在她家裡住幾天，等她找到新房子就搬出去。

我這個同學對朋友特講義氣，二話不說就幫她把東西搬到了自己家。

誰想，萌萌噠這一住就是大半年。有好幾次我同學想要催萌萌噠抓緊時間找房，還沒開口，那女孩就抓著她的手臂可憐兮兮地說：「X姐，你再等等好不好，最近房子真不好找，麻煩你也不好意思，我保證一找到就搬出去……。」

這賣萌的功夫讓我同學不心軟也不行啊。

後來，我同學慢慢發現，這個女孩超級懶：換下來的內褲、襪子啊之類，經常就扔在一個籃子裡，可以放十天半月都不洗；房間的地板也可以一個月不拖一次，到處都是灰塵和頭髮；傢俱上面灰塵遍佈，垃圾遍佈。

那畢竟是我同學的房間，作為一向愛乾淨的處女座，她簡直不能忍啊。

可無論是委婉暗示、直接明示，還是拍著桌子直說，萌萌噠都一臉委屈與可憐：「X姐，今天我有點不舒服，明天我保證打理一下，好不好？」

當然，明天永遠不會到來。

同學沒辦法，忍無可忍之下，一咬牙乾脆就幫她拖了地板，擦了傢俱，甚至還洗了她換下來的襪子、內褲！

萌萌噠感動得快要飆淚了：「X姐，你真好！能和你做朋友，真是三生有幸！對了，我肚子好餓，你上次做的紅燒肉好好吃，我好想吃哦。」

於是，一個小時後，萌萌噠吃到了我同學親手做的紅燒肉……。

接下來，便是我同學不停幫萌萌噠打掃整理、洗衣服、做飯等故事情節。而萌萌噠每次都感動得要飆淚，每次都把我同學誇得天花亂墜，但除了聽起來順耳之外，並沒有什麼用。

同學很煩惱，問我怎麼辦？還能怎麼辦？攆人啊！

同學說，可萌萌噠畢竟是我的朋友，除此之外，她也沒什麼不好的地方。

我說，要麼你就忍，要麼讓她滾，除此之外，還有別的辦法嗎？

02

雖然人是群居動物，雖然人離不開朋友，但真不是任何人都可以拿來做朋友的。有些人，最喜歡打著朋友的幌子，以為她們自己服務為宗旨，收攬各種免費的工具。

我在女性堆裡摸爬滾打幾十年，在這幾十年裡，透過不斷的遇見、不斷的失敗，我也總結了一些交友的經驗，就是要學會看清哪類人值得交往，哪類人不值得交往。

現在把這些經驗歸納出來，免費送給各位了。

第一類：你當她們是朋友，她們當你是小丑。

這一類人呢，經常以朋友的名義對你各種花樣的挖苦取笑，然後美其名說「開玩笑」。

她們的挖苦必然是當著眾人的面進行的，如果有男神之類的人物在場，那你就更慘了，她們對你花樣嘲諷的靈感會如井噴泉般爆發。

比如，你只是有點胖，她們會說：「你一笑，看到你整張臉都是肉。」

你只是有點矮，她們會說：「我覺得你有當演員的潛質，你演《風神演義》中的矮小的土行孫一定活靈活現。」

你外形上面的缺點實在找不出來，她們也會說：「你真可憐，也就我肯和你做朋友。」

你永遠是她們可以隨時隨地取笑的對象。而她扮演的角色則是偉大的拯救者：「你這麼差，我還願意和你做朋友，你該感激涕零。」如果你對她們的挖苦取笑稍有不滿，她們馬上就會說：「你怎麼這麼小氣，一點玩笑都開不起？」

這種人和損友的區別就在於：損友只在你們獨處的時候口無遮攔，而有外人在場時，最重要是有男神之類的人物在場時，她根本不會挖苦你，有時反而會維護你。而這種人完全相反。

對這種人有多遠離多遠。不要把時間浪費在她身上，如果你不想永遠當小丑的話。

當然，這種人如果你故意疏遠她，她可能懷恨在心，到處抹黑你。不過，只要你保持一個無所謂的態度，她們的各種行徑，反而成了真正的小丑行為。

第二類：你當她們是朋友，她們當你是男友。

這一類人就是上文提到的萌萌噠一類的人了。這類人一般嘴甜得要命，賣萌的功夫達到專業級別。她們最擅長的就是蠱惑你，然後把你當成男友使喚。自從和她們做了好朋友，你是不是一直在幫她做飯、洗碗、洗衣服、洗襪子、洗內褲、帶外賣、買水果、取快遞……

恭喜你，你的男友力莫名其妙就爆棚了。

她們是嬌滴滴的公主，你是五大三粗女漢子；她們肩不能扛，手不能提，只會可憐兮兮地看著你，你很爽快，袖子一挽說：「交給老娘吧！」

等到有一天你身體不舒服，想要讓她幫你做點事。她們很無辜很受傷：「我不會做，你還非讓我做，你是不是我朋友？」等到有天，你想偷下懶沒去幫她取快遞，她開始大發脾氣：「這麼熱的天，你還讓我去取快遞，你是不是我朋友？」

對這種人請語重心長地對她說一句話，自己的事情自己做。

明明大家都是成年人，為什麼她就老是要裝生活不能自理的巨嬰？再說了，你又不是她男朋友，你這麼男友力爆棚，是為了以後好找老婆嗎？

第三類：你當她們是朋友，她們當你是丫頭。

如果前一類人把自己當公主，這一類人就常常把自己當女王。

溫馨提示：如果你和女王做了朋友，請一定要自覺跪下，撿起她們華麗的拖尾，跟在她們身後做永遠黯淡無光的陪襯。因為她們不許你穿得比她們好看，不許你化妝，不許你佩戴任何一個，一不小心就顯出了你優良品味的飾品。如果你的整體打扮特別不襯你的氣質，特別不合你的身材，尤其是令你顯得像個土氣的姑娘，那將是她們最高興看到的事情。此時，她們會眼睛放光地誇你這樣的打扮，簡直太讚了。

而當你穿上真正合身且襯你氣質的衣服時，你放心，她們一定會不遺餘力對你進行沈痛地批判。她們會語重心長地告訴你：「你不適合穿這種衣服，你還是應該去穿XXX。」如果你沒聽她們的，繼續我行我素，那恭喜你，你的衣服可能就會遭殃了。你會幸運地發現，你的那件特別喜歡的衣服莫名其妙就壞掉了，多了一個洞，袖子破了等等，反正結果會導致：你再也無法穿它了。

對這種人請一定不要聽任女王殿下們的擺布，請一定要花樣美麗自己。當有一天女王殿下們發現你不再是她們的陪襯，甚至角色還有對調的危險時，請放心，她們離開你的速度一定比閃電還快。

第四類：你當她們是朋友，她們當你是隨從。

這類人和前一類人的區別在於，她們不會介意你的穿著打扮。不只不會介意，她們根本就不在意。比如你們去逛街，她可以試個不停，每次都要詢問你的意見，還不能少於五百字。

好，你給出了真誠的意見。輪到你看中某件衣服要去試一下，可等你從試衣間出來，想要找她給點意見的時候，你放心，你根本不會看到她的蹤影。你只試了區區幾次，她就超不耐煩，說你動作慢，說你太麻煩。

你們要是去某地旅遊，你上個廁所出來可能就找不到人，因為她根本不會停下來等你。

對這種人請立馬換人。我是寧願一個人，也不願找這樣的人一起。

第五類：你當她們是朋友，她們當你好揩油。

這類人，她們評判朋友的標準，就是看你有沒有免費的利用價值。當她們認為你好揩油的時候，她們對你熱情、包容、大方，簡直是好閨密的典範。但是，當你遇到麻煩，陷入困境，需要她們幫助的時候，她們離開你的速度，放心，比閃電還要快。

她們打著感情的幌子來接近你，目的只是為了揩、揩、揩。

對這種人請保持距離，讓她們知道，你的油不是那麼好揩的。這種人其實最沒有耐心，一旦一段時間內她認為沒好處可撈了，她可是不會把珍貴的時間浪費在你身上的。

如果你遇上以上幾種人，那麼恭喜你，你沒有必要再對她們付出自己真正的感情了。因為她們絕對不是把你當成真朋友的。那麼你又何必勉強自己去忍受這種渣友的輪番摧殘？

生活不易，且行且珍惜，畢竟我們活著不是為了伺候這些人的。珍貴的感情應該留給真正的朋友，除此之外的人，就讓她們自己花樣折騰去吧！

雖然人離不開朋友，但真不是任何人都可以拿來做朋友的。有些人，最喜歡打著朋友的幌子，以為她們自己服務為宗旨，收攬各種免費的工具。

01 不再討好別人，開始唯我獨尊

很多讀者認同我的觀點，說看了我的文章，超有共鳴。於是提問：如真的是下意識控制不住地放低姿態，多年來的習慣根深蒂固，應該怎麼改呢？

我覺得三言兩語難以說明白，於是專門寫了這篇文章，算是對這些疑問做個初步解答。

首先，我們來引入一個心理學概念：討好型人格。

這個人格概念是心理學家維琴尼亞・薩提爾（Virginia Satir）提出的，

她將人的人格特點分為五類：討好型、指責型、超理智型、打岔型和表裡一致型。

擁有討好型人格的人，往往不自覺地有這樣一個邏輯：「只有討好別人，不與人發生衝突，投其所好，才能讓別人喜歡我。只有別人喜歡我，我才能獲得愛和溫暖，並讓自己生存下去。」

那麼這種人格是怎樣形成的呢？

回想一下你小的時候，你的父母長輩是不是經常對你說：「如果你不聽話，就沒有人會喜歡你。」

是不是你不小心做了一些錯事，比如，在地上亂丟了東西，把地面搞得很髒之類，父母長輩就對你嚴加批評、責備，或露出嫌棄、厭惡的表情？

討好型人格，一般形成於幼時長輩比較嚴厲的家庭。因為只有達到了大人的要求，才會被大人所喜愛，所以這類人從小就習慣了透過觀察大人的表情來調整自己的行為。

他們認為，只有自己的行為符合大人的要求，大人才會喜歡自己。小時候，把「讓大人高興」作為自己的行為準則。長大了，「讓別人高興」就成了自己的價值體現。他們不敢隨意表達個人意願，通常不會也不敢發怒，因為怕別人會「不高興」。

在我們的傳統文化裡，「聽話」、「乖巧」屬於褒義詞。比如我媽從小就一直教育我「要聽話」，所以我也曾經是「討好型人格」。

現在她看到哪個小孩很聽長輩的話，還會衷心誇讚一句：「這小孩好乖啊。」聽某個廣場舞舞友，說起女兒對父母的話言聽計從，回家都要酸溜溜地向我描述一番。潛臺詞就是：「你看別人家女兒這麼孝順，你呢？」

當然她的描述完全是對牛彈琴，徒勞無功。因為現在的我從不把聽話與否、討別人歡心與否，作為衡量一個人好壞的標準。

推翻自己「討好」別人的習慣，我花了好幾年。那麼，如果你是討好型人格，該怎麼改變？讓我們一步一步地來。

02

首先，你得從理智上推翻你潛意識裡的固有邏輯。

討好型人格的潛意識邏輯是——討好別人↓別人喜歡我↓我獲得別人的愛↓我生存。

請你仔細地看看這個邏輯，你有沒有發現它實際上很荒謬？它的荒謬之處在於：討好別人，別人就會喜歡我。我獲得別人的愛，我就可以生存下去。

請理智地告訴我，這完全就是扯淡，這個邏輯之所以荒謬，是因為它是你小時候的邏輯（討好大人，我就可以獲得大人的愛，我就可以生存）。

而現在你已經長大了，你不再是只有依靠著大人，才可以生存下去的小孩子。所以，正確的邏輯應該是別人喜不喜歡我，和我討不討好他沒有一毛錢的關係。我自己能夠生存，完全不需要依靠別人。別人在我的生存大事裡，不會起到舉足輕重的作用。

好了，現在你知道你潛意識裡「討好別人」的邏輯完全是扯淡。所以第一步，請你重建這個固有邏輯。在你下意識想要「討好」別人的時候，告訴自己，討好別人並不能使自己得到他人的喜歡，況且你不需要得到他人的喜歡，也可以生存下去。

來，跟我把「唯我獨尊」這個成語一起念上三遍。

你之所以小心翼翼，是把他人看得太重，把自己看得太輕。你之所以把他人看得那麼重，是因為你小時候形成的邏輯在告訴你：失去他人的喜歡會對你的生存造成威脅。而現在，你已經長大了，他人的不喜歡對你而言，已經根本不會影響到你的生存。所以，你現在完全可以主宰你自己。

從現在開始，請把你自己看成宇宙中心，謝謝。沒錯，就是宇！宙！中！心！

我知道你心裡又有質疑了，什麼？把自己看成宇宙中心，這會不會太過？讓我告訴你，一點也不過。只有先把自己看成宇宙中心，形成唯我獨尊的心態，你才能慢慢改掉你小心翼翼的習慣。

不要去想自己太唯我獨尊了，身邊的人會不會感覺不舒服。你就是把身邊的人的看法想得太多了，才會做什麼都小心翼翼。所以，你必須得先學會重視自己。

如果你要去完成一件事情，你需要做的，不是去想別人滿意不滿意，還有會不會有人反對。你只需要問你自己，想不想去做，喜不喜歡？你喜歡就行了，你想做就行了。

請寵愛一下自己，寵愛一下自己又不會死。寵愛一下自己，世界也不會因此而毀滅。你要學會把習慣性地優先考慮別人看法，慢慢轉變為習慣性地先考慮自己的看法。

還有一點，你千萬不要放飛自我，要積極地去提升自我價值。

你可以找一個你喜歡的領域，去進行垂直發展。比如鑽研一門語言，學一門特長。想想你喜歡做什麼，投入地去做你喜歡的那件事。或者給自己訂個工作目標，努力完成這個目標。

在某個領域裡，透過自身努力獲得一定的成就，可大大加強你的安全感，讓你更深入地體會到，你才是自己的主人，你不需要依靠任何人就可生存。

相信我，披上成就比穿上奢侈服飾，更能讓你感受到強大的自信。同時，你取得了成就，也提升了你的自我價值。自我價值被提升了，別人也就會對你更加友好。也就更進一步推翻了你潛意識裡的荒謬邏輯，即討好別人才可獲得別人的喜歡。

請你狠狠打這句話的臉，把它拋棄，去記住下面這句話：成就就是氣場（請一定要念三遍）。

從一定意義上來說，討好別人，意味著一種捷徑。不管它本身多荒謬，但人總是以為多說兩句好話，把姿態放低點，就可贏得自己想要的。說說好話和放低姿態相比漫長的自我價值提升過程，的確只是動動嘴皮、做做表情的輕鬆事情。但你要相信，要想得到他人的尊重和喜愛，討好只會讓你在他人面前顯得更加卑微而已。

所以，從今天開始，收起你那雙善於察言觀色的眼睛，收起你那敏感多疑的心思，把更多的注意力放在自己身上。

人性是經不住考驗的，把你對別人好的功夫放在自己身上，不偷懶，不放棄，堅持自己，做你自己世界裡耀眼的主角。只有你自己成了你人生的主角，你才會真正贏得他人的喜愛和尊重。

需要補充的一點，是你一定要堅持。或者你會遇到很多阻礙，會有人對你進行誇張的批判，說你太自我。這個時候，請你一定要理性思考是非對錯，不要因為別人一點批判就全盤否定自己，堅持做自己認為是對的事情。能夠頂得住壓力才會有魄力好嗎？

以上的建議，給大家提供參考。請各位挑選對自己有用的來採納，不用和我客氣。

從今天開始，收起你那雙善於察言觀色的眼睛，收起你那敏感多疑的心思，把更多的注意力放在自己身上。

帶點稜角，才會光芒閃爍

01

你見過滾著走的人生嗎？

小時候，男孩子們經常玩一種遊戲。把一把玻璃珠子往地中間一擺，眼睛一瞄準，手指一彈，玻璃珠就飛快地滾了出去，相互碰撞，一下子可以滾出老遠。如果地面非常光滑，或者有下坡路，那珠子的速度，人跟在後面常常拚了老命都追不上。

眼看著前面就是一條臭水溝，那些珠子們卻依舊滾得喜氣洋洋，「噗」一聲勇猛地跌到臭烘烘的水溝裡，蹤跡難尋。還有一些玻璃珠，玩著玩著，就不知滾到哪個黑漆漆的角落裡去了，再也找不到。

彈珠總是一邊玩一邊丟，越玩越少。

幾年後搬家，總會在沙發角落裡，或者髒兮兮的櫃子底下，發現那麼幾個沾滿了灰塵的珠子。就算你把它撿起洗乾淨又拿來玩，又很快會再度滾到不見。它們總是從高處滾到低處，再從低處滾到看也看不見的角落。它們總是特別偏愛黑暗骯髒的地方，任灰塵佈滿身體。

我們想要把它們從高處彈到低處很容易，它們骨碌碌滾得飛快。但如果我們想把它們從低處彈到高處，那就簡直太困難了，無論你多麼用力，它們總是懶洋洋衝上一段後，就用更快的速度嘩啦啦滾下來。

讓它們上坡比讓它們下坡難上百倍。這就是玻璃珠的人生。

02

這世界上有一種人，他們過著和玻璃珠相似的人生，他們非常害怕與人衝突。

小時候，害怕與父母長輩衝突，為了讓父母長輩高興，他們會惟妙惟肖地扮演一個和自己真實個性完全不同的角色。

比如，父母喜歡他們「聽話」，他們就會在父母面前表現得非常「聽話」。但為什麼要「聽話」呢？他們說：「I don't know」。他們只知道，假如他們「聽話」了，父母就會很高興。他們和父母之間，就不會有任何衝突，關係會相當融洽。倘若父母喜歡他們「活潑機靈」，他們就會扮演一個「活潑機靈」的角色，目的同樣是討大人歡心，讓大人可以喜歡自己。但真實的他們，可能不喜歡鬧騰反而喜歡安靜。

稍微長大一點，他們又開始扮演起「同儕想要的自己」。

比如，朋友們喜歡他們順從一點，為了維持和朋友間的友誼，他們就會壓抑自己的個性，扮演得非常順從。即使朋友們老是玩一個他最討厭的遊戲，他也從不敢說出自己真實的看法和建議，反而還把這個遊戲玩得相當嗨。

再長大一點，他們小心翼翼扮演起「戀人想要的自己」。比如，女朋友說，我最喜歡男人穩重一點了。他們就開始竭盡一切所能扮演起「穩重的男人」這個角色。至於他們真實個性是什麼，扮演各種角色久了，恐怕連他們自己都搞不清楚了。比如，男朋友說，女人應該小鳥依人一點。她們聽了後就開始扮演起「小鳥依人的女人」的角色。但潛意識裡，她們可能並不喜歡這個角色。

工作中，他們的演技更嫻熟了，內心也更壓抑了。

長官派下來的任務，哪怕覺得並不合適，他們也絕對不敢對上直言，反而還表現得相當和順積極。因為怕和上級產生衝突。同事無原則推給他們的任務，哪怕內心覺得超級不爽，他們也從不會說出拒絕的話，反而表現得相當和善熱心，因為怕和同事起衝突。甚至哪怕是對著下屬，他們也因太顧慮每個人的想法而殫精竭慮。他們好像得了一種強迫症，必須要處理好每一段關係，不得罪每一個人。倘若做不到，就無比焦慮，無法安心。

他們害怕失去父母的疼愛，害怕失去朋友的友情，害怕失去戀人的愛情，害怕失去和同事間良好的關係。因為害怕失去，所以他們在每一段關係裡，都把自己放在了相當卑微的位置上。他們認為，只有把別人「供起來」，滿足他們一切要求和願望，他們才不會離開自己。所以，他們削掉了自己所有的稜角，把自己打磨得像顆玻璃珠子一樣圓滑。

他們以為，只有夠圓滑，捏在別人手裡，才不會扎了別人的手，讓人不舒服。為了得到他人永遠的「愛」，他們只好不愛自己。他們小心翼翼討好每一個人，因害怕失去而變得惶恐。這樣的人生，就是一個「滾著走」的人生。

03

滾著走的人生，其實就是一個無條件順從著別人的人生。就像玻璃珠自己不會走，需要被人彈著走。滾著走的人，也總是需要借助「他人的力量」。表面上，他們似乎是因為重情重義，才對「人」和「關係」相當珍惜，但本質裡他們害怕的其實是「孤獨」。他們缺乏獨自一人的勇氣，總是要把自己放在人群中，才會覺得安心。

為了處在人群中永遠地不被排斥，他們寧願捨棄所有自我意識，而被群體意識牽著鼻子走。所以他們滾著走，歸根究柢是因為內心不夠強大。之所以要討好每一個人，不得罪每一個人，是因為他們的安全感，完全是建立在和別人的關係上的。

和別人關係融洽，他們就覺得安心。關係不好，他們就覺得焦慮。但其實，這世上最不穩固的東西，就是人與人間的關係了。因為良好的關係總離不開兩個人的共同維持，所謂一個巴掌拍不響，你可以盡己所能處理好自己這部分的關係，但是別人的那部分呢？你能控制別人的行為嗎？不能。只要別人想要改變，你根本毫無辦法。

倘若你將安全感完全建立在和他人的關係上，就注定了你會永遠生活在惶恐之中。因為穩固的關係，根本就是一個神話。既然關係不可掌控，那何不放開手？其實，真正穩固的安全感，只存在於你自己身上。真正的安全感，就是你個人的價值。你不能控制別人的行為，但你能控制你自己的。磁鐵從來就不是自己追著去黏在鐵釘身上的，它就往那裡一站，鐵釘們就會屁顛屁顛地飛過來，扯都扯不掉。

為什麼呢？因為磁鐵有磁力。它從不用委曲求全，只要它還有磁力，鐵釘自己就會跑過來。磁力越強大，引來的鐵釘也就越多。

所以，真正穩固的關係，其實是建立在你的個人價值上的。

你一點價值都沒有的話，以為小心翼翼討好別人，就能讓關係融洽嗎？事實是你越討好，別人就越覺得你不重要。當你價值越高，你根本不用怎麼費心維護，你和他人的關係也會變得像碉堡一樣堅不可摧。

而個人價值的累積，永遠離不開稜角，離不開衝突和摩擦力。

玻璃珠把自己打磨得沒有一點兒稜角，和周圍的環境沒有一點摩擦，結果它從來爬不上坡，反而往低處滾得飛快。因為它太「圓」了，與周圍的摩擦力太小了。事實上，只要你想往高處走，摩擦力是必備的前提。

摩擦力從哪裡來？就從你的稜角上來，就從你的稜角和環境的衝突上來。沒一點稜角的人，只會往下滑。保留著一定稜角的人，才會把稜角深深扎於土中，讓自己一步一步穩固向上。汽車的輪胎再圓，也離不開增大摩擦力的花紋，甚至在冰雪天還需要掛防滑鏈，因為只有這樣，它才會安全地爬上高地而不至於在半山腰就滾入峽谷。

所以，你還在人群中琢磨著，怎樣才能把自己打磨得像一顆玻璃珠嗎？

玻璃珠不扎手，握起來舒服，但人們玩一陣子，丟了也就丟了，甚至不會心痛。而稜角分明的鑽石卻會被人們無限珍惜，丟了一顆就痛心疾首。

玻璃珠沒有稜角，所以它是透明的。鑽石帶著稜角，才能光芒閃耀。而稜角之所以會被保留，離不開孤獨的力量。人群那麼喧鬧，你是不是還在不自覺地扮演他人喜歡的某種角色，而忘了你是誰？

只有當你獨自一人的時候，才有可能看清楚自己的樣子。只有獨自一人的時候，你才有可能摘下圓滾滾的面具，露出你本來的稜角，靜靜地光芒閃爍。

別怕扎了別人的手。當你價值更高，哪怕你是一把刀，別人也會把你攬得緊緊的。

帶點稜角，才會光芒閃爍。

以為小心翼翼討好別人，就能讓關係融洽嗎？事實是你越討好，別人就越覺得你不重要。當你價值越高，你根本不用怎麼費心維護，你和他人的關係也會變得像碉堡一樣堅不可摧。

沒那麼多人值得你去寵溺

01

曾經有讀者問我：清藍，有時候一些人來找我幫忙，我幫助了他們，但是為什麼過後他們卻毫無感激之情，反而認為我幫他們是理所當然，甚至還看不起我？

我聽了之後表示：「很生氣！」

好歹我也是活了幾十年了，像這個讀者提到的這種人，簡直就像我們社區裡的狗屎，每天總有那麼幾坨，堂而皇之地出現在一些人的生命裡。

明明是你累死累活幫了他不少忙，可他心裡非但絲毫不感激，還處處要顯得高人一等，看你的眼光開　的是睥睨模式，對你說話的語法用的是主人模式。

不到用你時，各種瞧不起，各種冷淡，各種白眼。到用你時呢？你以為他會放下身段和你說個客套話？你想多了。主公叫丫鬟做事，說什麼客套話？

你看不慣他那副高高在上的模樣，很想拒絕，但轉念一想，與人為善嘛，助人為樂，幫了他，他一定會心存感激，這樣我的人際關係就會融洽。

但他真會心存感激嗎？實際上是你幫了他的忙，他還嫌東嫌西。你震驚之餘，卻又安慰自己：算了，生活不如意者十之八九，我就忍忍吧。於是，你開了你的「忍者」模式。他卻隨隨便便一句：「謝啦」，附帶眼角一點點輕蔑的餘光，毫不走心。

更不走心的是他的一言一行，都表示出對你的冷淡和輕視，彷彿你天生就是供他使喚用的，而他熱情巴結的對象永遠不是你。

真的是太可惡了。你發誓下次一定不再幫他。

但幾天之後，他又來找你幫忙，你心想大家都是同事，我如果拒絕了他，傷感情啊，算了，再幫他一回吧！接下來他態度依舊傲慢無禮。

你怒了，想說：「下次再幫他，我就不是人。」

然而，下次，下下次，你還是忙著助人為樂，他還是忙著睥睨天下。

儘管你在心裡掀掉了幾百張桌子，但現實中你卻連桌子的角都沒有動上一動。你與人為善，對人溫和，一忍再忍，他卻蹬鼻子上臉，沒一點兒眼色，踩著你的溫和，明目張膽欺負你。

你說這種人，可不可惡？

02

可能小時候我們普遍受到的教育是與人為善，才會有更多的朋友，人際關係也才和諧。長輩們也說吃點虧不要緊，做人要大度一點。還有一句心靈雞湯是這樣說的：「你對世界笑，世界才會對你笑。」還有「愛笑的女孩運氣都不會太差。」

這些話說得太英明了，英明得讓我們在現實裡面被啪啪地打臉。

小學的時候，我嚴格奉行了我媽的教育——助人為樂。我很無私地把我的作業送給班上的同學抄。他們抄完了，對我說謝謝。我瞬間感覺到助人為樂的充實感，心中洋溢著溫暖快樂之情。

他們後來再找我要作業抄，我總是無私地拿給他們。但令我困惑的是，隨著「幫」他們的次數越來越多，他們對我越來越不客氣，越來越不感激，而且覺得理所當然了。

於是，後來的話風就變成了這樣：

每到放學，他們就來問我作業做完了沒？我表示做完了，他們就到我書包裡一頓亂翻，然後直接拿了作業就走。我表示還沒做完，他們就很不耐煩，「你今天搞什麼啊？都放學了，作業還沒做完？」

他們押著我在乒乓檯上做完了作業才放我走。後來，他們表示放學才可以抄到作業，太浪費時間了，命令我中午就把作業做完，這樣下午他們就可以抄，回去後就可以玩了。

我表示做不到，他們很生氣，威脅著要和我絕交，還要聯合班上的同學孤立我。

我只好向老師告狀。

結果就是：我莫名其妙地變成了一個「自私自利」的「好」學生，一點都不大方，很多人表示鄙視我。

叢飛的故事聽過嗎？

當年歌手叢飛透過義演，資助了很多貧困的大學生。大學生們剛開始紛紛表示感激。後來，因工作太忙，壓力太大，叢飛得了不治之症，只好停止了資助，因為他要治病啊。但大學生們卻不領情了。他們表示很憤怒：「你明明說過要資助我一直到畢業，現在卻說話不算話，騙子！」

還有一個饅頭店長的故事。

好心的饅頭店長覺得有些清潔工吃不上早飯很可憐，於是就做了「愛心饅頭」，免費送給清潔工們吃。人們剛開始表示感謝，後來吃慣了，就覺得理所應當了。再後來饅頭店表示不能免費提供這份早餐了，人們就開始破口大罵了。

還看過一個新聞。

一個老人天天都要過馬路去買菜，因為腿腳不便，眼睛不好，走得很吃力。有個小學生看到了，就每天等在那裡，扶老人過馬路。後來有幾天小學生生病了沒有來，再來的時候，老人卻開始破口大罵，譴責人心不古，連小學生都變壞了。

這些事說明什麼？說明這世界上有一種人，你幫他一次忙，他會對你心懷感激。你幫他很多次忙，他就開始不把你當一回事了，甚至覺得，你幫他理所當然。

一個難得出手相助的人，偶爾幫你一次，你會感激涕零。另一個人每次都無條件幫你，滿足你一切要求，你卻可能並不感激，反而覺得他很賤。

這世界就是有一些「恩將仇報」的人，對這些人我們不能一味寵溺。

03

如果，你總是一片熱心幫了別人，別人卻毫不感激，甚至輕視你，那你只要立刻停止幫助，回歸你的高冷模式就行。但是，說起來不過一句話，為什麼我們做起來卻那麼難？

很多人都說我知道啊，但每次事到臨頭，拒絕的話卻無論如何也說不出口。你為什麼會說不出口？因為你害怕。表面上你害怕得罪他，但實際上你怕的是孤獨。

想一想，為什麼他老是來找你幫忙，而不去找別人？因為他認定了你不會拒絕。

你為什麼不會拒絕？因為你待人溫和。你為什麼待人溫和？因為你秉持以和為貴。你認為只有溫和待人，才會顯得自己沒有攻擊性，令人感覺友好，別人才會和你做朋友，你才不會孤獨。倘若不溫和，不友好，你就會令人討厭，導致沒人願意和你做朋友。

但是，這個看起來無懈可擊的邏輯，是錯的！

看看我們周圍，溫和友好的人其實朋友並不多。甚至一些溫和友好到幾乎沒脾氣的人，還被冠以「老實人」的高尚頭銜。

老實人是什麼人？有時老實人幾乎成了侮辱性詞彙，因為它代表的是這樣一類人——智商有問題，怎麼欺負他，他都不會反抗，反而還笑臉相迎的人。

還有一個近義詞，叫老好人。什麼是老好人呢？這樣來解釋吧：如果你經常開　的是高冷模式，不輕易幫人，偶爾幫了別人一次忙，那你就成了「好人」。如果你經常開　的是笑眯眯模式，對別人的要求都有求必應，幫了無數次忙之後，你就成了「老好人」。所以，如果你想做好人，你千萬別輕易幫人。如果你想做老好人的話，那就有求必應，很快你名聲就傳遍了江湖。

下次，當你不由自主要　用你的「常規溫和」模式時，請立馬告訴自己——那是錯的！

你高冷，偶爾笑一笑，別人會記住你的笑。你逢人就笑，偶爾馬個臉，別人就會記住你馬臉。所以，正確的邏輯是這樣：適度高冷，才會顯得自己有一定攻擊性，令人感覺不好欺負，別人才會和你做朋友。

04

社群「知乎」上有個網友舉了個例子。

倘若你去買火車票，時間緊急，你準備插隊。這個時候，你是會選擇去插一個慈眉善目，看起來似乎一直在微笑、很溫柔的人的隊呢，還是會去選擇插一個兇神惡煞、嘴角向下、一看就滿臉不高興的人的隊呢？

大家都懂得避重就輕，柿子當然是撿軟的捏了。那麼問題來了：屎也是軟的，為什麼大家都不去捏呢？呵呵。

屎雖然軟，但它是臭的啊，你捏了它，弄得一手都是屎，體驗好嗎？柿子軟，還香噴噴，越捏越舒服，捏了也沒壞處，這樣五星級的舒適體驗，不捏它捏誰？

你心軟沒問題，但你軟到沒點脾氣，就是你不對了。讓想要捏你的人，聞一聞你的臭脾氣，下一次他就什麼都懂了。

這世上除了真正重要的幾個人，沒那麼多人值得你去寵溺？

幫忙是情分，不幫是本分。你助人助到沒有底線，長了別人的威風，滅了自己的尊嚴，累死不討好，又是何必？脾氣，是你生而為人的權利啊。

你高冷，偶爾笑一笑，別人會記住你的笑。你逢人就笑，偶爾馬個臉，別人就會記住你馬臉。正確的邏輯是這樣：適度高冷，才會顯得自己有一定攻擊性，令人感覺不好欺負，別人才會和你做朋友。

看透
—善良面具半獸人—

默念：
我是鑽石不是玻璃珠，
有點稜角，才會光芒閃爍。

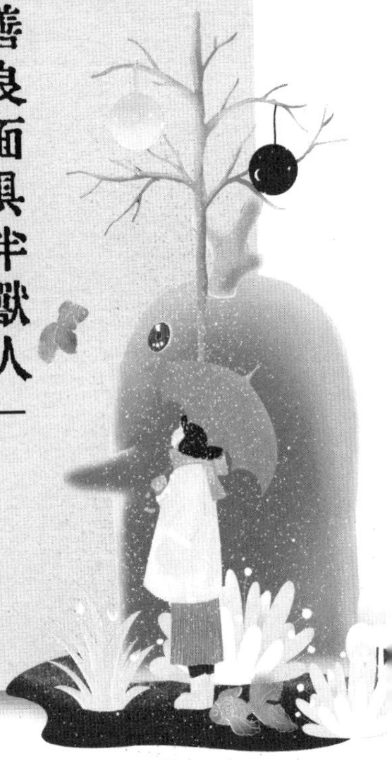

致所有的妖怪們：

謝謝你們，

讓我體會眞實的人生，

使我更强大，無懼。

self-help S 04

這世界妖怪很多，受點傷使你更強大

作　　者｜清藍
選書編輯｜黃文慧
特約編輯｜劉佳玲
封面設計｜謝佳穎
內頁設計｜葉若蒂
出　　版｜境好出版事業有限公司
總 編 輯｜黃文慧
主　　編｜賴秉薇、蕭歆儀、周書宇
行銷經理｜吳孟蓉
會計行政｜簡佩鈺
地　　址｜10491 台北市中山區松江路 131-6 號 3 樓
網　　址｜https://www.facebook.com/JinghaoBOOK_
電　　話｜(02)2516-6892
傳　　｜(02)2516-6891
電子信箱｜JingHaoPublishing@gmail.com

發　　行｜采實文化事股份有限公司
地　　址｜10457 台北市中山區南京東路二段 95 號 9 樓
電　　話｜(02)2511-9798
傳　　｜(02)2571-3298

法律顧問｜第一國際法律事務所 余淑杏律師

I S B N ｜978-626-95023-6-3 (平裝)
定　　價｜350 元
初版一刷｜2021 年 10 月

國家圖書館出版品預行編目 (CIP) 資料

這世界妖怪很多，受點傷使你更強大 / 清藍著 . -- 初版 . -- 臺北市
: 境好出版事業有限公司出版 : 采實文化事業股份有限公司發行，
2021.10　　面；　公分
ISBN 978-626-95023-6-3(平裝)
1. 成功法 2. 人生哲學 3. 生活指導
177.2　　　　　　　　　　110015178